企业哲学家

"我立下了两个宏愿，一是帮助建立一家伟大的公司，二是探知和了解繁荣和社会进步背后的规律。"

——查尔斯·科克

科克语录

> 无论在商业、经济还是科学领域，要想取得进步，就要经历试验和失败。既然市场经济是一个试验性探索的过程，那么业务失败就不可避免，任何消除失败的企图只能带来满盘皆输的后果。关键在于我们要认识到我们是在进行试验性探索，并相应控制好试验规模。"

① 查尔斯·科克与父亲和爷爷1942年摄于堪萨斯州 Spring Creek 牧场。

③ 查尔斯·科克步入家族企业之后，工科和理科背景的查尔斯开始沉浸在历史和人文社会科学的研究之中（摄于1970年）。

② 查尔斯·科克与弟弟大卫·科克，1951年摄于蒙大拿州 Beaverhead 农场。

④ 弗雷德·科克与查尔斯·科克，摄于1961年，查尔斯·科克于当年加入岩石岛炼油有限公司（科氏工业集团前身），并开始领导科氏工程公司。

KOCH

THE SCIENCE OF SUCCESS

THE SCIENCE OF SUCCESS

THE SCIENCE OF

SUCCESS

How Market-Based Management Built the
World's Lárgest Private Company

CHARLES G. KOCH
CEO, Koch Industries, Inc.

WILEY

查尔斯·科克经典著作《做大私企》(*The Science of Success*)

科氏工业集团总部，位于美国堪萨斯州威奇塔市。

**作为世界上最大的私人公司之一，
科氏工业集团拥有多元化的业务，
但却一贯保持低调！**

❶ 伍德·里弗炼油有限公司（科氏工业集团前身），摄于 1943 年。

❷ 科氏炭业公司位于旧金山附近的石油焦炭处理厂，该厂于 2008 年荣获加利福尼亚州自主保护项目之星奖，这一奖项肯定了公司及其工厂在生产和项目安全方面的卓越贡献。

❶ 科氏—格利奇公司位于堪萨斯州威奇塔市的生产基地，该公司的产品应用于炼油、化学、医药和特种行业。

❷ 科氏化学技术集团公司的附属企业科氏热传设备公司及其关联公司为全球的客户设计并定制的热交换处理设备。

> **"** 我们的理念是从了解自身的能力着手，寻找可以为我们创造最大价值的机会。换言之，我们只受自身的能力所限，而与具体行业或产品线无关。**"**

乔治亚—太平洋公司以价值为主导的定位"Making Life's Simple Necessities™"在公司旗下的纸巾，卫生纸和一次性餐具等被广泛认可的产品品牌身上充分彰显。

THE SCIENCE OF SUCCESS

2005年科氏工业集团斥资210亿美元收购了美国建筑产品和纸张生产巨头乔治亚—太平洋公司后更是一跃成为全美最大私人企业。

英威达PET树脂因其快速高效的加工流程，高强度，高透明度和高光泽度成为包装瓶生产商的首选。

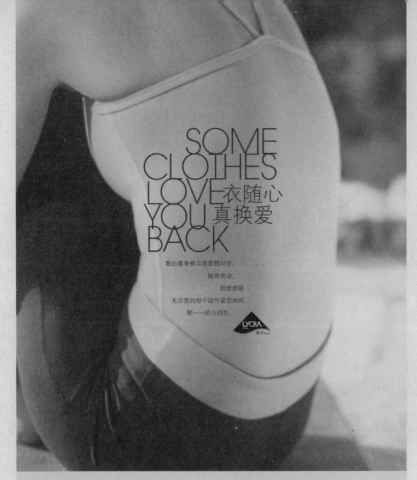

SOME
CLOTHES
LOVE 衣随心
YOU 真换爱
BACK

我的紧身裤与我双腿同步，

随我扭动，

助我舒展，

无论我的每个动作姿态如何，

都一一贴合到位。

LYCRA
莱卡lycra

"衣随心，真换爱"

2004 年，科氏工业集团从杜邦手中买下英威达后与原有子公司 Kosa 合并。目前，英威达是世界上最大的合成纤维、聚合物供应商，拥有莱卡®（LYCRA®）纤维品牌等。

英威达生产的安特强®地毯纱线拥有卓越性能，持久耐用且美观大方，自上市以来深得建筑师、设计师和房产商的青睐。

做大私企

MBM® 模式如何打造全球最大的私人企业

〔美〕查尔斯·科克 (Charles G. Koch) ◎著

刘志新 ◎译

李 波 ◎审校

重庆出版集团 ⓖ 重庆出版社

The Science of Success: How Market-Based Management Built the World's Largest Private Company by Charles G. Koch

Copyright © 2007 by Koch Industries, Inc.

Original English Language edition published by John Wiley & Sons, Inc., Hoboken, New Jersey

Simplified Chinese Edition Copyright © 2009 **Grand China Publishing House**

This translation published under license.

All rights reserved.

No part of this book may be used or reproduced in any manner whatever without written permission except in the case of brief quotations embodied in critical articles or reviews.

版贸核渝字(2008)第84号

图书在版编目(CIP)数据

做大私企：MBM®模式如何打造全球最大的私人企业/〔美〕查尔斯·科克著；刘志新译；李波审校. 一重庆：重庆出版社，2009.4

书名原文：The Science of Success: How Market-Based Management Built the World's Largest Private Company

ISBN 978-7-229-00357-9

I. 做… II. ①科…②刘…③李… III. 私营企业—企业管理—研究 IV. F276.5

中国版本图书馆CIP数据核字(2008)第200820号

做大私企

ZUODA SIQI

〔美〕查尔斯·科克 著

刘志新 译

李波 审校

出 版 人：罗小卫

策　　划：中资海派·北京华章同人

执行策划：黄 河 桂 林

责任编辑：陈建军

特约编辑：孙丽莉

版式设计：张 英 洪 菲

封面设计：陈文凯 罗滨川

重庆出版集团
重庆出版社　出版

(重庆长江二路205 号)

深圳彩美印刷有限公司制版　印刷

重庆出版集团图书发行公司　发行

邮购电话：010-85869375/76/77 转810

E-MAIL：sales@alphabooks.com

全国新华书店经销

开本：787×1092mm　1/16　印张：14　字数：163 千

2009年6月第1版　2009年6月第1次印刷

定价：48.00元

如有印装质量问题，请致电：023-68706683

THE SCIENCE OF

SUCCESS

**How Market-Based Management Built the
World's Largest Private Company**

CHARLES G. KOCH

CEO, Koch Industries, Inc.

以市场为基础的管理模式 (Market-Based Management, MBM®) 能促使各个组织运用自由社会繁荣昌盛的各项原则并踏上长期成功发展之路。历史学、经济学和其他学科给予我们的一个启示，繁荣社会和没落社会采用的各种规则和价值观念大相径庭，繁荣社会里的各项规则和价值观念是鼓励人们自主创新，能够指引人们走上富裕、健康、幸福的康庄大道。运用 MBM 模式的组织有着与繁荣社会类似的原则、准则和文化氛围，能够培养员工有原则的企业家精神。

《福布斯》(Forbes) 杂志报道说，MBM 模式是由查尔斯·科克构建的，在世界上规模最大的私人企业——科氏工业集团中推行。该公司主要经营炼油产业和化学制品；加工设备和各项技术；纤维和聚合物；商品和金融贸易；林业及消费产品。科氏工业集团董事长兼首席执行官查尔斯·科克把公司的成功归功于对这套管理模式的构建和应用。

MBM 模式是一整套的管理方法，其理论结合实际，为各个组织成功应对发展和变革中遇到的种种挑战提供了原则和方法。MBM 模式创立的基础是人类行为的科学 (the Science of Human Action)。这套管理模式由五个维度组成，它们分别是：愿景、品德和才能、知识流程、决策权和激励。

◆ 愿景 (Vision)：确定组织在什么领域和用什么方式才能创造最大的长期的价值；

◆ 品德和才能 (Virtue and Talents)：确保拥有适合的价值观和技能的人才被聘用，保留和培养；

◆ 知识流程 (Knowledge Processes)：创造，获取，分享并应用相关知识，同时衡量和跟踪盈利能力；

◆ 决策权 (Decision Rights)：确保合适的人在合适的工作上，拥有合适的授权做决定，并让他们承担相关的责任；

◆ 激励 (Incentives)：根据员工为组织创造的价值给予其相应的奖励。

全球最大私企
董事长兼 CEO 查尔斯·科克

出生日期

1935 年 11 月 1 日

出生地

堪萨斯州威奇塔

教育背景

麻省理工学院通用工程学士学位 (1957 年)

麻省理工学院核工程硕士学位 (1958 年)

麻省理工学院化学工程硕士学位 (1959 年)

家庭成员

妻子利兹·科克 (Liz Koch) 以及两名子女

最喜爱的书籍

F. A. 哈珀 (F. A. Harper) 著的《工资为何上涨》

(*Why Wages Rise*)

履行义务，遵守诺言，尽可能与诚实守信的人做生意。所有的以基督教精神为本的合同和律师都不能够使没有诚信、不正直的人遵守约定。

伦纳德·里德 (Leonard Reed)

◆ 科氏工程有限公司副总裁 (1961—1963 年)

◆ 科氏工程有限公司总裁 (1963—1971 年)

◆ 科氏工业集团董事长兼 CEO (1967 年至今)

查尔斯·科克自 1967 年以来一直担任科氏工业集团董事长兼首席执行官。自那时起，该公司一跃成为发展迅速、产品多元化的知名集团公司。

科氏工业集团之所以能够取得巨大成功，追根溯源在于科克先生对科学和社会发展的兴趣以及不懈的探求，这帮助他构建并实施了 MBM 模式。

40 多年来，科克一直坚持对学术研究和公共政策研究的支持 (包括对许多诺贝尔奖得主的支持)。为了找到在市场经济条件下各种社会问题的解决办法，他帮助建立了许多基于市场原则的组织机构，其中包括人文研究所 (Institute for Human Studies)、卡托研究所 (Cato Institute)、乔治·梅森大学美国市场研究中心 (The Mercatus Center at George Mason University)、权利法案研究所 (The Bill of Rights Institute) 和 MBM 研究所 (The Market-Based Management Institute)。

超越传统的管理模式

在细读此书之前，首先要明白两件事：其一，查尔斯·科克是位工程师，生长在美国的中西部；其二，他是自学成才，对奥地利经济学家路德维希·冯·米塞斯(Ludwig Von Mises) 提出的自由市场理论情有独钟。

结合以上两点，你就能静心领会这本管理典籍中的字字箴言，明白作者为什么会像马克思主义学者那样笃信"掌握人类福利"之"确定法则"。那些喜欢探求学问的人们定会对科克的观察评述钦佩不已，因为他不仅把自由市场理论中安·兰德(Ayn rand) 的总体思想融会贯通，创立了独一无二的 MBM 管理模式，而且他还不断抓住机会，把这些理论付诸实施，在位于威奇塔以北平原上的公司总部发挥作用。

书中零星列举了一些科克在事业蒸蒸日上时的小案例，例如他提醒在建立合作伙伴关系时要格外谨慎，只有在制定"退出机制"的情况下才能同意合作，以防合作伙伴发生变故。书中还提到，产品在各个部门之间传

9

输时，其成本应该按照全部商品"售出"时的市场价格来计算，而不应只是当做部分产品来计算成本，否则，公司也就失去了把资金投入到其他地方以得到较高回报的机会……

应用 MBM 模式的效果是无可争辩的，问题是，除了科克之外，是否还有人能够创造出同样的丰功伟绩呢？

现代版的"堂吉诃德"
打造现代版的"乌托邦"

访问时间：2007 年 5 月 26 日

访问地点：堪萨斯州威奇塔科氏工业集团总部

被 访 者：查尔斯·科克

采 访 者：《金融时报》(*Financial Times*)

美国商业版编辑弗朗西斯科·格雷拉

(Francesco Guerrera)

在确定与《金融时报》记者共进午餐前，查尔斯·科克根本不必翻看菜单。这位亿万富翁选择了一家他相当熟悉的餐厅：位于堪萨斯州威奇塔集团总部大楼内的一家普通餐厅。

我们刚把托盘放在餐厅靠窗的桌子上，科克就迫不及待地谈论起他那套独一无二的企业管理模式。他认为经营公司的艺术可以浓缩成一些可以衡量的精确规则。"在学生时代，我就知道自然界的运行有规律可寻，了解并应用这些规律是可以行得通的。"他就事论事地叙说起来。

听着他的谈论，我想奥地利经济学家约瑟夫·熊彼特 (Joseph Alois Schumpeter) 应该感到非常自豪，因为他的"创新和破坏"(creative destruction) 理论曾令年轻的科克着迷不已。我抽空问他，是否真的能把宏观经济学理论应用到现实的公司中去，他表示赞同。

"你永远也无法摆脱这种试验性探索的过程，其间乐趣无穷，能促使我不断前进。"他说道，他指的是公司的信条确立之前所经历的一段长期试验和纠错的过程。他已把科氏工业集团当成了自己的"乌托邦"，以此来检验"以市场为基础的管理模式"——这是他为自己的理论取的名字，并且已经创造性地毁灭了40多年来行之无效的业务领域。

"因为你避开了公众的目光和股东不顾一切索取季度业绩报表的压力，所以你杰出的管理才能得以发挥出来，是这样吗？"我问道。他点点头，放下叉子说："社会上往往充斥着很多这样不切实际的说法：'噢，他们离季度目标还差一分钱呢，'喏，其实谁对此在意呢？"他说着，右手的大拇指压住食指，形同克林顿总统下决心时的姿势。"当时经理们在做什么呢？他们做了行之有效的研究了吗？制定了科学的开发项目计划了吗？他们有自己需要的员工吗？他们为将来制定了正确的规划了吗？这些才是真正重要的步骤和措施，而不应该是他们多挣了一分钱还是少挣了一分钱。"

公司的一些管理者安于现状，科克对此深感不快。"他们需要站起来说：'伙计们，你们这样做会削弱我们的能力，让我们无法创造价值，公司就不能兴旺发达，我们的生活也就得不到改善。'管理者要发挥领导才能，不能让员工甘当牺牲品。"

企业若不能重整旗鼓、东山再起，可能会使富有的原自由主义者们陷入噩梦般的窘境：规章政策会有所增加、税收利率也会提高。"企业员工在创造价值，可是如果有传言说，'我们国家对所有企业都征税，那干脆把企业搞垮算了。如果企业不能改善我们的生活，而是让我们生活得更糟糕，谁会需要它们呢？'这时，公众就会失去信心，结果可想而知了。"

科克刚说完这句话，他就注意到我吃蛋糕需要一把叉子，眨眼间，这位全球最伟大的私人企业家——"在交易中，他总是寸步不让，是均分双方利益的关键人物"，人们是这样描述他这个难缠的谈判对手的——竟然亲自起身为我去取餐具。

在他去取餐具的短暂期间，我鼓起了勇气，一边努力消灭大块的蛋糕，一边想着一个微妙的话题：科克与他的弟弟比尔(Bill)长期水火难容，这场类似《圣经》(Bible)中该隐与亚伯的对抗纠缠了科克及其公司长达20多年之久。

对于这个话题，他显得有些尴尬和无奈。但他以一种特有的方式坚持认为，家庭的不和给他上了一堂商业课。"唯一行之有效的合作伙伴关系——无论这些伙伴是家人还是最好的朋友，都必须得和与你有共同愿景和价值观的人建立才行。"

之后，他似乎意识到他把创新和破坏用在了自己身上，于是他补充说："你会发现我也许说得不对，但我这个人总是言行一致。"

　　这句话似乎是对结束采访的恰当暗示，因为科克必须赶往洛杉矶参加一个商务会议。当他高大瘦削的身躯走向大门时，留下了一个英雄般的剪影：一位超级富有的堂吉诃德，在日益敌对的商业和政治环境中，努力让世人听到自己与众不同的声音。

对于科克来说，被吸引到他的群体中的人不是为了谋求额外的津贴或补助，也不是为了探寻制约对手的法则或特殊优势，他们只是想要一个公平的竞技场，期待能有机会实现自己的目标，让别人生活得更幸福。

——《华盛顿审查者》(*The Washington Examiner*)

希望各位读者能够认真研读此书，仔细揣摩其中的内涵并有所收获。

——《TSC 日报》(*TSC Daily*)

这本书为我们指明了参与企业实践且有利于企业和社会发展的行为准则。在拥抱自由市场内部变革的学习中，科氏工业集团找到了一条通往成功的大道，这一点非常值得借鉴。

——《世界网络日报》(*World Net Daily*)

自 1974 年彼得·德鲁克 (Peter Drucker) 的巨著《管理：任务、责任和实践》(*Management: Tasks，Responsibilities，*

Practices) 问世以来，科克的著作也许是对管理、领导科学作出的最重要贡献。因为他在书中系统阐述了经济学、政治学、心理学和哲学思想，并融合了管理学的相关知识。

——*Libertyguide.com*

和其他许多管理类图书一味地追逐热点、夸大其辞，甚至有的乱写一通不同，这本书显得非常科学和专业，绝对值得广大读者尽心研读。

——英国《商业》杂志 (*The Business*)

　　何以解释科氏工业集团的辉煌成就？查尔斯·科克称之为以市场为基础的管理模式：规划一幅战略愿景蓝图，从失败中总结经验教训，树立促使成功的信念与信心，培养谦虚谨慎、诚实正直的个人品质；同时，从机会成本和比较优势的角度为所有员工营造思考的文化氛围。

——弗农·史密斯 (Vernon Smith)

2002 年度诺贝尔经济学奖得主

　　我的父亲山姆·沃尔顿 (Sam Walton) 曾强调基本的为人之道很重要，是成功的基础所在，如谦虚谨慎、诚实正直、尊重他人和创造价值。在这些方面，无人能及查尔斯·科克。

——罗布·沃尔顿 (Rob Walton)

沃尔玛总裁

　　评判一名猎手是否出色，要看他收获了多少动物毛皮；评价一个人或一家公司成功与否也与此类似。查尔斯·科克就有许多这样的"毛皮"，他把科氏工业集团铸造成为全球最大的私人企业。本书以全新和全面的视角揭示出他成功的秘诀。几十年来科克一直钻研市场运作的模式，他把研究所得运用到实践中去的执著精神必将鼓舞并激励未来几代企业家。

——布恩·皮肯斯 (T. Boone Pickens)
美国对冲石油基金大亨、"国际油神"

这本书是企业家和公司管理者的必读之作，也是适于其他更广泛人群阅读的佳作。MBM 模式是无价之宝，可为包括各个家庭和非营利性实体在内的所有群体带来卓越成效。政府领导们只要留心研读人类行为的科学这门学问，就可以避免决策失败。

——理查德·夏普 (Richard L. Sharp)
CarMax 董事长

查尔斯·科克阐述了他是如何应用人类行为这门学问去营造出一种文化氛围，使世界上最大最成功的私企之一诞生成长的经历。他的话通俗易懂、富有创意、引人深思。这本书对有意于创造价值的人来说是一本必读之作。

——威廉·哈里森 (William B. Harrison Jr.)
J.P. 摩根大通公司前董事会主席兼首席执行官

美国宪法的制定者们想把美国建成创业者的乐土，这一想法深深扎根在充满人性的现实生活中。根据同样的想法，查尔斯·科克为创业者们建立了一个恒久的阵地，一家比微软、戴尔、惠普以及其他大公司规模都要大的公司。每一位创业者都应该研读这本书。

——维恩·哈尼什 (Verne Harnish)
Gazelles 公司首席执行官、"年轻企业家组织"的
创办者、《掌握洛克菲勒的习惯》(Mastering the Rockefeller
Habits) 的作者

本书提练了西方市场经济环境下私企的致胜之道。我相信这种经过科氏工业集团几十年来无数次验证的管理模式一定会带给中国企业家意想不到的惊喜！

——陈钊 教授
复旦大学中国经济研究中心副主任

中国每年新开张的私企大约有 15 万家，但每年被淘汰出局的也有 10 万家之多，私企平均寿命只有 29 岁。而作为全球最大私企董事长，查尔斯·科克的著作或能解国内私企短命之痛。

——范正利
商务时报总编辑、高级记者、专栏作家
美国协和大学 MBA、北京大学 EMBA

查尔斯·科克是商业社会的怪杰，他拒绝上市融资却打败了经济周期，短短 40 多年间以 2 500 倍的速度打造了全球最大的私人企业。他坚信，无论是商业社会还是人类社会，一切成功都来源于成熟的价值观体系和方法论！

——"2008 哥伦比亚大学新闻评论"
中国标杆品牌《周末画报》

MBM® —— 被证明的管理哲学

科氏工业集团MBM®顾问　李波

　　2004 年，我初次接触到 MBM 就立刻被它深深地吸引住了。后来又有幸专门从事 MBM 工作，并得到了 MBM 团队同事们非常有价值的指导，越发感觉到它的精妙和博大精深，感觉好像是打开了一个知识世界的大门。科氏工业集团能从一家中小公司在几十年间不靠股票市场融资发展成世界最大的私人控股公司，实实在在是经历了几十年持续的学习，探索和实践。这本书非常认真详尽地讲述了 MBM 管理理念。这里，我想以一个中国员工的角度谈一下自己关于 MBM 的一些了解。

西方的管理理念能否在中国适用

　　我的想法是基本上是可行的，这是因为 MBM 研究的是人类行为的科学，研究的是人类的本性，而在这一点上人类是没有什么区别的。比如说，书中介绍了"公地的悲剧"的概念，说的是如果一个东西被所有的人拥有，那么就无人对之负责，问题也就会随之产生。书中还举了美国历史上发生的真实故事。1620年，清教徒刚到达美洲时，他们的土地和其他财产都属于公共所有，最后导致了饥饿和混乱。当政者终于在两年半以后做出决定把土地分给每家每户自主经营，情况立刻好转。大家知道，在中国也发生过类似的事情。

另外一个例子也很有意思。MBM有一个思维模式叫做"挑战流程"，意味着持续的质疑和集思广益从而可以发现更好的方法。。经常有本地员工提出来说在中国的文化中是要讲究尊重，讲究面子的，所以这一条在中国不太适用。然而我们了解到，挑战流程这个词语在西方世界里也面临同样的情况，在英语，法语，葡萄牙语中这个词都让人感觉有被挑战的感觉。实际上，就像书中讲到的，挑战流程是帮助你做出更好的决定，你是愿意接受别人的挑战有所改进，从而减少问题的发生还是最后以发生灾难的形式做到这一点？大家可以看出东西方在挑战流程上并没有太大的文化差异，真正的问题在于人的本性，人的自我保护意识，而这一点是不分东方还是西方的。

总之，一方面，一味地放大东西方文化的差异而否认总体的适用性是不可取的，当然另一方面，在具体的实施方法上由于文化差异可能有所差别。

宏观经济学的理念能否应用在企业的管理上

如书中所说，MBM是一种管理哲学，通过应用促使自由经济社会繁荣进步的原则到企业的内部管理，从而使企业创造长期的价值。这是一个非常独特和有意思的逻辑。很多人认为，宏观经济学的理念只对宏观经济适用，和企业的管理没有什么关系。但MBM的成功实践证明了二者是相通的。在宏观经济学中，自由市场经济之所以能够促进社会繁荣是因为以下几条原则：人们可以自由建立合同和交易，通过照顾到他人的利益而实现照顾自身利益的目的；私有产权得到清楚的界定和保护，人们可以保留劳动果实从而努力工作；通过法治实现对待的公平，通过政府防止不合法和不合理对待的发生；价格，利润和亏损是来自市场的反馈和信号，指导着社会高效利用资源诸如应该生产什么东西，生产多少，应该由谁来生产等；以及通过工资反映为企业家工作的人给社会创造价值的多少。这些基本原则应用到公司内部就成为了MBM的五个维度。正因为MBM探讨的是人类行为的科学，是人的本性，而不管是国家还是公司都是由人组成的组织，所以彼此相通就不奇怪了。

企业为什么难以持久地做强

已经有很多人谈了各种可能的原因。这里，我想谈一下可能的一条原因。在听著名经济学家吴敬琏教授讲《中国经济》时，他提到中国现在是一种"能人经济"，意思就是说企业家像超人一样，能力很强，几乎所有的决定都是他做的。在企业规模较小时，这也许还可以，但当企业发展的越来越大时，你无论是精力还是能力都远远不够了。这时，必须发展一套思想体系，也可以说是搭一个舞台，让有共同价值观和理念的各个领域的人才上台表演。这样，企业才会做到持续成长。这时，实际上是达到一种"有纪律的自由"的状态。

回顾科氏工业集团的发展历程，就是经历了这种不断成长的过程。科氏工业集团的六条核心能力的第一条就是MBM。通过强大的管理理念和企业文化，它可以通过收购或其他途径来快速发展。如果企业没有自己的管理理念和企业文化，或者它们只停留在墙上和纸上，而不是内化在员工的行动上，就很难做强。我们已经看到了很多例子，有些企业兼并了别的企业甚至是国外的企业，但由于不能把文化集成在一起，最后导致困难重重。

MBM是否太理论化

有些学习MBM的人也许会说MBM只是理论，和实践还是有距离。这里我想强调的是MBM是由一家企业经历了几十年的探索和实践而开发出来的，是已被证明了的管理哲学。另外有些人会说，我自己会做就行了，不用懂理论。这里，我想谈两点。第一，在大家都懂得同样的理论，也就是说具有共同的语言时，团队合作会更高效。曾经有员工对我说，如果他的团队早点学习边际分析思维模式的话，当年他们就不会为了是否要开一条生产线而花费很长时间才做出决定。第二，如果你是主管，你有发展员工的职责，如果你不学习理论，天天说我不懂得怎么说，只知道怎么做，那么你如何能够高效发展员工的能力呢？

MBM需要整体应用

正如书中强调的，MBM 是一个整体应用的系统，要把五个维度结合在一起来思考问题，而不是支离破碎地解决问题。在思考问题时我们要有一个整体的思维框架，而不要局限在问题本身。无独有偶，吴敬琏教授也反复强调思考问题一定要有一个整体的思维框架。这有点像中医的理念，人体是一个统一的整体，解决问题不能头痛医头，脚痛医脚。

我们的经验教训（写给科氏工业集团的同事们）

在第 8 章中，科克先生坦率地讲述了我们在应用MBM 方面的一些教训。对此，首先我们应该认识到 MBM的学习和应用不是一蹴而就的，需要反复的实践和思考，所以有问题并不可怕，可怕的是背离我们的企业文化；其次，作为员工，要勇于贯彻 MBM 指导原则，体现有原则的企业家精神，不断地提高对于 MBM 的应用，创造出更大的价值。因为 MBM 的应用需要每一个员工的努力。

MBM对我们的价值

诚如科克先生所说，四十几年来他把他几乎所有的业余时间都用在了学习各个学科的知识上，并且在自己的公司做实践。我想，我们这些接触到 MBM 的人应该感到非常幸运。我们可以通过阅读和实践这本书来学习科克先生总结的各个学科的精髓，更为重要的是，这些精髓已经被企业实践所验证，被证明是非常有价值、有威力的。最后，祝大家阅读愉快并有所收获。谢谢。

目 录 | THE SCIENCE OF SUCCESS

第 1 章　集团的发展历程

　　公司的成功发展来源于我们的愿景，即提供最快最好的服务，与所有生产商和勘探公司建立最密切的关系。

第 2 章　人类行为的科学

　　几十年来，由于我们已经学会了接受及欢迎变革，科氏工业集团才得以日益成长起来

愿 景 第3章

切实有效的企业愿景应源于并归结于价值的创造，这也是公司存在的唯一理由。

每一个愿景都应该回答这样的问题："我们应该努力做些什么？"以及"我们将如何做？"我们的企业愿景必须指导我们的一切行动。

品德和才能 第4章

显然，才能很重要。然而正如托马斯·杰斐逊所言，品德至少和才能同等重要。

诺贝尔经济学奖获得者肯尼斯·阿罗把信任称为"社会体制中重要的润滑剂"，它在公司中也一样很重要。

第5章　知识流程

知识产生的主要机制是从交易中产生的市场信号——价格、利润和亏损，以及言论自由。

美国西南航空专心研究纳斯卡赛事中工作人员高效地换轮胎、加油和赛车手的有条不紊，你知道为什么吗？

第6章　决策权

要根据员工在不同领域展示出来的才华和能力，给予他们一定的职权，使其能做出一定领域内的决策权。

第7章　激　励

在支付薪资福利方面应让员工避免"应得"的观念。根据头衔、证书、学位、资历或经验自动加薪，以及根据公式来付薪是我们所不认同的。

我们的经验教训　第 8 章

组织在能够成功地应用 MBM 模式之前，领导者必须专心致志地学习领悟 MBM 模式，完整地应用它来获得成果，才能转化为个人知识。

不仅要在技术方面创新，而且要在企业的方方面面都实施创新，这是企业长期成功发展的关键所在。

> 履行义务，遵守诺言，尽可能与诚实守信的人做
> 生意。所有的以基督教精神为本的合同和律师都不能
> 够使没诚信不正直的人遵守约定。
>
> ——弗雷德·科克 (Fred C.Koch)

本书介绍的独特的商业管理哲学 MBM (Market-Based
Management®，以市场为基础的管理模式) 使科氏工业集团
(Koch Industries，Inc.) 成为世界上规模最大，同时也是最成
功的私人企业之一。

自 1961 年我成为父亲的雇员以来，科氏工业集团的账面
价值已增长了 2 500 倍 (假定红利再投资)。不仅如此，公司
在规模越来越大时仍能保持快速发展和盈利，这在其他大公
司中是非常罕见的。人们常常问我们如何能做到这一点，其
实答案很简单：只要应用 MBM 模式就好了。

我们把 MBM 定义为一种哲学，它运用促使自由经济社
会繁荣发展的一些原则，能够推动企业长期走向成功。我们
可以从以下五个维度思考并讨论这一理念：愿景、品德和才
能、知识流程、决策权以及激励。对于这几条我想着重指出
两点：

第一，我们对于这些词汇的理解和使用与关于管理的文

献中的典型意思有所不同。例如，对我们而言，愿景不是对企业目标和抱负的一次性描述，而是一个动态的概念，其产生的基础是不断检验我们为顾客和社会创造价值的方式。鉴于此，公司的愿景必须进行改变，而且一定要保证落实。

第二，我们从五个维度描述 MBM 模式，但这个模式不仅仅是五个维度的简单叠加。如果这些维度及蕴含的根本原理得到全面理解，并相辅相成地整体运用时，其效果就会持续地显现，并不断演进，就象生物体不单单是分子的简单组合，同样，包含各种因素的企业也不仅仅是人员、经营行为和资产的简单组合。

以前，我们对 MBM 的结构定义得不够充分。实际上，经过很多年的实践和摸索后，我们才能够把每天的实践和思维模式添加进 MBM 框架内，就像你现在在书中看到的样子。目前的 MBM 理论框架最初发表于 20 世纪 90 年代初，但它是从更早期的理念和模式发展而来。

MBM 的一些重要原则来自于我父亲的构思，如强调价值观和企业家精神。他曾与别人一起创办了科氏工业集团的前身。身体力行的他在几个重要的方面给我们做出了表率：努力工作，诚实正直，谦虚，终生学习。

MBM 的思想主要源自我本人的阅读和研究。我加入岩石岛炼油有限公司（Rock Island Oil &Refining Co.,Inc.，它是科氏工业集团前身）后不久，便产生了两个强烈的愿望。

第一个愿望是帮助建立一家伟大的公司，第二个愿望是探索和了解繁荣和社会进步背后的规律。

在研究了历史、经济学、政治学、哲学、自然科学、心理学以及其他一些学科之后，我得出结论：这两个愿望是强烈和密切相关联的。

在我读过的许多伟大的书籍中，有两本书都助我开始了我的知识探索过程：哈珀的《工资为何上涨》和路德维希·冯·米塞斯的《人类行为》(Human Action)。哈珀的书清楚的说明了真正的、可持续的工资增加的原因，并和虚假的增长区分开来。他解释说真正的工资取决于劳动力的边际生产力。在《人类行为》里面，米塞斯阐述了基于私人产权和法治的市场经济促使文明和平和繁荣。

作为一名工程师，我知道自然界的运行有规律可循。通过研究，我开始意识到，人类社会同样存在着掌握人类福祉的法则。我认识到繁荣只可能在这样一个系统中产生：产权被清楚和正确地界定和保护，人们可以自由发表言论、自由交易和自由订立合同，价格能够自由引导有市场利益的行为。允许人们按照自身利益最大化原则采取符合公正的行为规则的行动，才是推动社会发展的最佳也是唯一可持续的方式。

在我看来，这些法则不仅是关于社会福祉的基础，而且也是组织这种微缩的社会的基础。的确，这就是我们开始把这些法则系统地应用到科氏工业集团时发现的真谛。

我们尝试新方法，勇于创新，既有失败也有成功，同时不断发展革新，在这个过程中收获的经验和得到的教训是MBM 的第三个来源。我们的理念和实践与我们一起发展，我们希望将来它们能够继续发展下去。

本书每一个章节讲述 MBM 模式的一个维度。在写作的过程中，我头脑里有两类读者。

第一类是科氏工业集团现在和将来的广大员工。本书旨在阐述我们的管理哲学及背后的原因。我希望它有助于员工的贡献最大化，同时开发他们的全部潜能。每一位员工都可以帮助我们试验及改进运用 MBM 模式取得佳绩的方法。

我想到的第二类读者比较广泛，为工商界的人士。MBM 模式并非罗列了现今管理书籍中成功公司具备的一些普遍的特征，而是阐释企业与社会建立和谐的利益关系的方法。公司若想生存和发展，就必须以有原则的行为为社会创造真实的长期的价值。

MBM 模式之所以行之有效，就是因为其理论基础能够适应并应用于组织的各个方面。MBM 在科氏工业当然已经运行得很好了，它没有理由不能在其他组织也运作良好。我相信这本书将会帮助任何有原则的个人或组织努力创造真实的、长期的价值。

我深信，基于市场的思想与实践方法相结合，是我们成功的主要原因。当然，过去的成绩不能保证将来的成功。要想继续取得卓越的成绩，我们必须不断提高对 MBM 模式的理解和应用。就像市场经济是一个通往社会更繁荣的未知未来的试验性探索过程一样，MBM 模式也是一个没有终点的不断学习和改进的过程。北极星本身不是目标，而是向导，同样，MBM 模式会引领企业创造出越来越多的价值。努力理解它并付诸于实践的读者，我祝你们马到成功！

查尔斯·科克

威奇塔，堪萨斯 (Wichita, Kansas)

不要被恐惧吓倒。

Don't take counsel of your fears.

——弗雷德·科克

弗雷德·科克 作者的父亲，科氏工业集团的创始人。1922 年他毕业于麻省理工学院，在校期间担任过拳击队队长。

1925 年，应麻省理工学院同学之邀，他与位于堪萨斯州威奇塔的一家工程公司开展合作，开始了充满艰辛和富有传奇色彩的创业之路。

第1章

Evolution of a Business

集团的发展历程

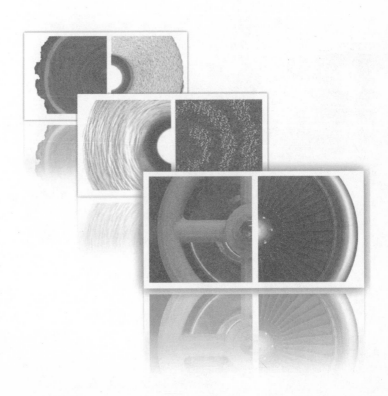

运筹帷幄、审时度势之人才能决胜千里之外。

——亨利·博恩 (H. G. Bohn)
17 世纪英国著名作家
其代表作是《格言手册》(*A Handbook of Proverbs*)

其实，世间并没有所谓的朝阳产业，有的只是各个公司组织运作起来、创造并利用这些蓬勃发展的朝阳机会罢了。那些自诩踏上自动的朝阳电梯的产业无一例外将陷入萧条的困境。

——西奥多·莱维特 (Theodore Levitt)
现代营销学的奠基人之一
曾担任《哈佛商业评论》主编

简要回顾一下科氏工业集团的发展历程，就能够进一步理解 MBM 模式。从公司初创起，这种模式一直起着主导作用。

就从我的曾经当过印刷学徒的祖父哈里·科克 (Harry Koch) 说起吧。1888 年，祖父从荷兰移民到美国，三年后便定居在得克萨斯州的夸纳 (Quanah)。在那里他收购了一家濒临破产的周报和附属的印刷工场。这份报纸便是至今仍然在发行的《简要论坛报》(*Tribune-Chief*)。

家族移民美国与创业

夸纳是个穷地方，祖父的许多顾客通过实物来支付部分款项。出生于 1900 年的父亲弗雷德·科克，当时认为呆在夸纳守着印刷厂没有前途，于是就离家到莱斯(Rice, 一所私立的研究型综合大学，位于休斯顿市区。——译者注)学习工程学，大学二年级时父亲被选为学生会主席。后来他得悉麻省理工学院开设首个化学工程课程，便转至该学院学习。在麻省理工学院学习期间，他还担任过拳击队队长。于 1922 年毕业后，父亲接连受雇于三家公司，并一直担任化学工程师职位。

1925 年，父亲应麻省理工学院同学之邀，与位于堪萨斯州威奇塔 (Wichita，位于美国堪萨斯州中南部的一座城市，人口约有 30 万，有"飞机城"的称号。——译者注) 的一家工程公司开展合作。父亲在加入这家公司两年后，研究出一种新技术，改进了重油转汽油的热裂解工艺。该发明成本低廉，缩短了机器停工期并提高了产量。这家公司后来改名为温克勒－科氏工程公司 (Winkler-Koch Engineering Company)。

温克勒－科氏工程公司把这项工艺卖给一些独立的炼油厂，获得了成功，于是，很快便引起了各大石油公司的注意。为了能够控制技术，大多数大石油公司把裂解专利集中到由环球油品公司 (Universal Oil Products Company, UOP) 管理的专利协会里。与现在一样，UOP 在当时也是最主要的炼油工艺研发公司，只是当时 UOP 的所有权掌握在大石油公司手中。

我父亲的研发成果没有向使用者收取专利权税，而专利协会却征收高昂的专利权税。1929 年，由于担心各家独立的炼油厂将不断提高竞争力，专利协会把温克勒－科氏工程公司及其所有客户告上法庭，指控他们侵犯专利权。这起事件给温克勒－科氏公司在美国的业务造成了巨大的经济损失，但通过在国外建厂，特别是在前苏联建立了 15 家裂化厂后，公司得以生存下来。在美国大萧条时期的头几年里，温克勒－科氏工程公司第一次享受到了财务状况得到真正改善所带来的种种好处。

在与专利协会打官司的 23 年间，温克勒－科氏工程公司只输了一次，但那一次判决也因法官受贿而被撤销。这起丑闻的影响巨大而深远，结果那些大的石油公司把 UOP "捐献"给了美国化学学会 (American Chemical Society)。温克勒－科氏工程公司向法庭提起反诉讼，并于 1952 年被判获得 150 万美元的赔偿。尽管那笔赔偿数额可观，但这件事改变了我父亲。他建议我："永远不要打官司，因为即使胜诉，律师和政府各得到1/3的好处，而公司却遭受重创。"我一直按照他的建议去做，很少对别人提起法律诉讼。遗憾的是，他忘了告诉我怎样避免被别人起诉。

1940年，一家新组建的公司要在东圣路易斯附近成立一个日产石油1万桶的炼油厂，父亲随之加入了该公司。这个公司名为伍德·里弗炼油有限公司（Wood River Oil & Refining Co., Inc.），是科氏工业集团的前身。父亲是公司的5名原始股东之一，受聘规划经营那个炼油厂。他出资23万美元购买了公司23%的股份。

由于二战期间国家征收90%的"超额利润"税（"Excess Profits"tax）以及几位原始股东发生了冲突，伍德·里弗炼油有限公司在创业初期业务发展很粗糙。1944年，两位原始股东把股票售还给公司。1946年，伍德·里弗以40万美元及在伍德·里弗炼油有限公司10%的股份收购了俄克拉何马州邓肯附近一家日产8 000桶石油的炼油厂和一个日输送1万桶石油的集油系统（集油系统是把原油从井下输送到主要输油管内）。这些资产存放在一个新的名为岩石岛炼油有限公司的全资子公司里。炼油厂于1949年关闭，但这套集油系统却为伍德·里弗炼油有限公司开发其最大业务奠定了基础。

1950年，伍德·里弗炼油有限公司的炼油厂被卖，其余的原始股东把手中的股份售还给公司。我父亲保留了伍德·里弗的名字，用剩下的钱购买了蒙大拿州和得克萨斯州的几个农场。这些就是他当时主要的业务。另外，他还注重发展分馏装置（即根据沸点不同来分离液体的设备）。他投资的其他项目包括玻璃纤维管、野营拖车和家用冷却塔。他甚至要把一个小型的轰炸机群改造为用于公司经营的客货机，但没有成功。

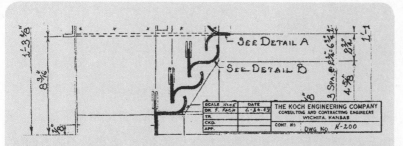

图 1.1 Kaskade 塔盘

1949 年，科氏工程公司引用了弗雷德·科克对卡斯卡德 (Kaskade) 分馏塔盘所做的独创设计。该方案使产量增加了 50%，效率提高了 25%。但处理的变化幅度非常小，只要负荷量轻微地增加或减少，功效就会大幅下降。

一位客户无意中把分馏塔盘上下倒置安装，结果发现这样工作的效果反而更好。这件事情发生之后，父亲就放弃了对卡斯卡德分馏塔盘的设计。

父亲和我，科氏工程公司

对父亲来说，似乎工作上的这些挑战还不够多，他还得对付我们这几个顽皮淘气的儿子。我出生于 1935 年，4 个孩子中我排行老二。父亲在孩提时代就向我灌输劳动的观念，尽管当时不觉得有什么作用，但这却让我一生受益无穷。在我 8 岁以前，他就让我在劳动中度过大部分的空余时间。

我刚上学的时候算不上好学生，但后来进步很大并被麻省理工学院录取。我毕业时获得了一个工程学学士学位和两个工程学硕士学位。毕业后我留在波士顿，在一家著名的咨询公司——理特管理顾问有限公司 (Athur D.Little, Inc. ADL，又称阿瑟·D. 利特尔咨询公司。它是全球第一家管理和技术咨询公司，于1886年创立于美国波士顿。——译者注）工作。

大约在理特管理顾问有限公司工作两年之后，父亲开始逼迫我返回威奇塔加入自家的公司。可我很喜欢咨询公司的这份工作，因为能从中学到很多知识，于是拒绝了他。最终，父亲提出一条我无法拒绝的理由，他说他的身体状况不好，如果我不回去的话，他就要把公司卖掉。

1961年以前，公司的名字一直是岩石岛炼油有限公司。公司的业务除了经营农场之外，还经营俄克拉何马州南部的集油系统，同时拥有大北方石油公司(Great Northern Oil Company, GNOC) 35%的股份。这35%的股份是指当时在明尼苏达州圣保罗附近的一家日产3.5万桶石油的炼油厂，该厂是1959年从辛克莱石油公司(Sinclair Oil)收购的。这些年来，我们不断扩大炼油厂的规模，现在其产能即将达到原来的10倍。大北方石油公司的其他主要股东还有精炼石油公司(Pure Oil)和大北方石油公司的共同创办人J. 霍华德·马歇尔二世(J. Howard Marshall II)。

父亲曾强调谦虚和勤勉工作很重要。我到威奇塔时，他对我说的第一句话是："我希望你的第一笔生意赔钱，否则你会高估自己。"其实他大可不必担心，因为我做的很多笔生意都赔了钱。

科氏工程公司的多个承建商在欧洲的许多国家生产分馏缸，结果很糟。我接手的第一项任务就是清理这个烂摊子。当时，科氏工程公司是独立于岩石岛炼油有限公司的公司，由我和三个兄弟共同执掌。这个公司只有位于威奇塔的一个工厂，生产一种叫轻便型浮阀塔盘(Flexitray®)的分馏装置。之后几年，我长期呆在欧洲，并在意大利的贝加莫(Bergamo)郊区建立了我们自己的工程和生产基地。令人惊讶的是，父亲居然对我完全放手，让我管理科氏工程公司。他对我说，只要不卖公司，我怎么办都行。

科氏工程公司是温克勒－科氏工程公司间接衍生出来的分支公司，我们在与专利协会打官司的几十年间它一直没能恢复元气。1944年，我父亲和刘易斯·温克勒(Lewis Winkler)因在公司发展上发生分歧导致合作关系解散。于是父亲在1945年创立了科氏工程公司，继续从事工程业务。公司2/3的股份由我和几个兄弟控制，其余的1/3则由总裁哈里·利特文(Harry Litwin)拥有。1954年，利特文成立了自己的公司以承接工程业务，科氏工程公司则保留了轻便型浮阀塔盘业务。

在我动身回到威奇塔之前，科氏工程公司的销售额急剧下降，不足200万美元，几乎入不敷出。我的应对之策是在欧洲开办生产基地，同时通过拓宽轻便型浮阀塔盘的销售渠道来打入相关产品市场，如冷却塔填料、除雾器和污染控制设备等。这个策略获得了极大的成功。1963年，我被任命为科氏工程公司总裁，到了1965年，公司销售额翻了一番多，盈利也颇丰。

这个时候，我不仅集中精力经营公司，还开始潜心钻研通向经济繁荣和社会进步的原则。我把几乎所有的业余时间都用来研究历史和一些人文学科上，当我领悟到似乎与商业有关的理念时，我就想办法在实践中加以运用。

那时我还兼任岩石岛炼油有限公司副总裁，并着手开展该公司最大的业务——原油采集。斯特林·瓦纳(Sterling Varner)是我在工作中的盟友，他后来成为科氏工业集团的总裁兼首席运营官。我们大量地购买货车和货运公司，同时还建造和购买输油管道。

父亲对我这些做法都很支持，只是因为他自己的身体状况不佳，总想让公司保留足够的流动资金来支付遗产税。在他准备动身到国外旅游之际，我和瓦纳请求他批准购买北达科他州的两家原油货运公司，他却只同意我们购买一家公司。但等他一启程，我们就把两家公司都买了下来。当我把这件事告诉父亲时，起初他大动肝火、暴跳如雷，但最终原谅了我们，因为这两个收购给我们带来了很高的回报。

当我们的原油采集业务蒸蒸日上之时，父亲原本虚弱的身体愈加孱弱。1966 年，他任命我担任岩石岛炼油有限公司总裁，这样一来如他所说，一旦他发生了什么不测，就由我来掌管公司。1967 年 5 月，他的心脏病发作，11 月的又一次发作后父亲终于与世长辞了。为了纪念他，我们把岩石岛公司改名为科氏工业集团。我有幸在父亲去世之前与他共事 6 年，他对我本人及公司的发展有着深远的影响。他是约翰·韦恩（John Wayne，以演西部片著称的好莱坞明星。1939 年在著名的《关山飞渡》影片里的出色表演，蜚声世界影坛。——译者注）型人物，坚强而有领袖风范，正直而又谦虚，并且求知若渴。就这样，我在 32 岁时接替父亲成为公司董事会主席兼首席执行官。

科氏工业集团与我

后来的几年中，我和瓦纳继续开展原油采集业务。在瓦纳的领导下，公司发展成为美国和加拿大最大的原油购买商和集油商，产量从 1960 年的日产 6 万桶增加到 1990 年的日产 100 多万桶。

公司的成功发展源于我们的愿景，即提供最快最好的服务，与所有生产商和勘探公司建立最密切的关系。我们的货车守在油井旁，原油生产出来后即可立即运走。我们还提高了建造输油管道的能力，提升了运营输油管道及货车输送的效率，在控制成本方面超过了竞争对手。

我们不与生产商签订契约，而是自己建一条输油管道直通新油田，这样一旦有原油产出，这条管道就能给我们带来收益。其他输油管道公司通常要求与生产商签订委托书、储量勘测研究协议书和关税契约书来降低风险。这样一来，既耽搁了管道的施工进程，还给生产商增加了负担。我们的想法是行动迅速，自己来承担更多的风险，为他人提供更好的服务。这个想法使我们成为首屈一指的原油采集公司。

随着公司原油产量的提高，石油库存经常偏高，于是我们开始开发原油贸易能力，这就是科氏工业集团贸易业务的开端。我们还着手寻求能使公司创造更高价值的其他业务。

1970 年，在比尔·汉纳（Bill Hanna，1987—1999 年担任科氏工业集团总裁兼首席运营官）和比尔·卡菲（Bill Caffey，科氏工业集团执行副总裁，后来任乔治亚—太平洋公司执行副总裁）的领导下，我们打入液化气采集、分馏及贸易领域，最终成为全美该领域最大的公司。后来，我们利用液化气方面的开发能力，开展了天然气采集、运输、加工和贸易业务。

再往后，气体业务和其他相关业务能力又让我们开拓了氮肥业务。科氏氮肥公司自此成为一家重要的化肥生产、经销、营销和贸易的跨国公司。

在公司的成长过程中，最重要的事件之一就是 1969 年我们购买了大北方石油公司的股份，享有控股权，这使我们在近 20 年间第一次得以恢复经营炼油业务。1968 年，我与联合石油公司（Union Oil，它已收购了精炼石油公司）洽谈购买该公司手中握有的大北方石油公司 40% 的股份。他们给我报出的价格远远高出了市值，于是我回绝了。联合石油公司开始把自家的股份卖给独立的炼油公司，并暗示有意购买者也可以通过购买 J. 霍华德·马歇尔的股份获得对大北方石油公司的控制权。

为了反击这种做法,我亲自与大北方石油公司实际控制人 J. 霍华德·马歇尔商谈,提出把我们双方持有的大北方石油公司的股份都集中到科氏金融控股公司 (Koch Financial Corp.) 中,按我们两家在大北方公司中所占股份的比例分享该公司的所有权。我向他承诺,在可享受优惠税款的时候,把科氏金融控股公司中马歇尔所持有的 30% 股份换成科氏工业集团的股份,让他成为科氏工业集团的股东。对此,他欣然同意。他的合作与信任为我们购买联合石油所持大北方公司的股票铺平道路,最终,我们以较合理的价格达成交易。

这次收购给科氏工业集团注入了新的活力,也带来了许多新的机会。这主要归功于乔·墨勒 (Joe Moeller, 1999—2005 年间科氏工业集团总裁兼首席运营官,2005 年任乔治亚—太平洋公司首席执行官) 领导有方,我们的炼油业务增长了 10 倍。我们还以炼油业务为基础,进入到化学制品行业,最近又打入了纤维和聚合物领域。

1981 年,我们购买了太阳石油 (Sun Oil) 在科珀斯克里斯蒂的炼油化工总厂,从事化学制品业务。自那时起到现在,该厂的总价值已经增加了 5 倍多。1998 年,科氏工业集团收购了赫斯特公司 (Hoechst) 一半的聚酯纤维业务,进入到纤维和聚合物业务领域。能有这个机会是因为我们是该公司主要原料的大供应商。2001 年,我们又收购了其另一半业务,并在 2004 年继续收购了杜邦公司 (Du Pont) 旗下生产尼龙、氨纶弹性纤维和聚酯纤维的英威达公司 (INVISTA,总部设在美国的英威达公司是全球最大的纤维和聚合物综合生产商之一,业务遍及全球。现已拥有 1 000 多个美国专利,并且几乎在所有设有其业务的国家申请了相应领域的专利。——译

者注)。英威达拥有多个享誉全球的品牌，如 STAINMASTER® 地毯和莱卡®(LYCRA®) 弹性纤维〔目前，只要是挂了莱卡®(LYCRA®) 纤维品牌的服装都是高品质的象征。——译者注〕。

炼油业务还为我们发展壮大奠定了基础，使我们拓展到沥青及其他商品的贸易和经销领域，如石油焦和硫磺。我们还增加了其他固体类商品，如纸浆和纸制品、磁铁矿、煤和水泥的生产、经销和贸易业务。科氏勘探公司依然按照做贸易的战略设想开展经营活动，这与大多数石油、天然气勘探公司的策略有所不同。

这些年来，我们始终不断地扩大交易产品的种类并持续提高贸易能力。为此，我们把业务范围扩大到全世界，通过实物资产运作，对全球市场状况了如指掌。科氏工业集团目前的产品种类繁多，它成为纽约商品交易市场上最大的贸易公司之一 (详见附录 A)。

我们为拓展商品交易而开发出的定量分析能力和风险管理能力帮助我们又开拓了金融业务。1992 年，我们收购了克莱斯勒公司 (Chrysler) 的市政租赁业务，加上我们自有的流动资金，使我们有能力创办一个独立的、多云化的金融公司。

我的兄弟大卫领导有方，科氏工业集团的加工设备和工程业务量增长了 500 多倍。1970 年大卫加入科氏工程公司，先是担任技术服务部经理，1979 年成为科氏工程公司的总裁。他大大拓宽了产品线，提高了生产能力，把公司转型为科氏化学技术集团公司 (Koch Chemical Technology Group, KCTG)。现在该公司在传质、氧化、热传递和膜分离技术等许多加工技术上占有领先地位。

2001 年，我们着手创办业务开发团队，提升我们的能力来拓展适合我们能力的其他领域的业务机会。在此之前，我们已经确定发展林业产品。2004 年，业务开发团队帮助我们顺利收购了两家小型林业产品公司。我们还想收购一些相关企业，但未成功。不过到了 2005 年，我们终于成功收购了林业行业最大的公司乔治亚—太平洋公司 (Georgia-Pacific)。这项 210 亿美金的收购是科氏工业集团有史以来最大的一次收购，为科氏工业集团提供了发展森林制品产业和消费商品产业的重要平台。乔治亚—太平洋公司公司目前是世界上最大的纸巾供应商，拥有众多顶级北美消费品牌，如 Quilted Northern®、Angel Soft®、Brawny® 和 Dixie® 等。该公司在森林制品行业的其他业务中也是首屈一指的，特别是在建材产品和包装材料方面拥有不少知名品牌，如 Dens® 人造壁板以及 Plytanium® 胶合板等。

科氏工业集团这些年来能够不断发展壮大，是因为马歇尔及其子、皮尔斯 (Pierce)、大卫和我有共同的愿景，都想建立一家能够带来高回报的大型的，具有企业家精神的公司。我们认为，这个公司的运营需要英才管理，任职、授权和付薪都要根据他们的真才实学和实际贡献来设定，股东也不例外。这一战略目标要求公司把大部分收入拿来进行再投资。这样一来，股东们必须自愿放弃短期内较大金额的分红以支持公司发展，这样才能得到更多的长期回报。信奉这个愿景需要彼此的信任和低时间偏好度。

公司现状与展望

如今，科氏工业集团由 10 家主要集团公司组成（见附录 B)，此外，另有牧牛公司 (Matador Cattle Co.) 和一家风险投资集团公司，即科氏创业集团公司 (Koch Genesis)。牧牛公司是美国第十大母牛和牛犊饲养企业，而科氏创业集团公司的经营核心是购买可以大幅度促进公司现有业务发展的技术和技术公司。

公司的发展简史也许给人留下这样的印象：我们的经历是不断改善的结果，成功接踵而来。其实，事实远非如此。**无论在商业、经济还是科学领域，要想取得进步，就要经历试验和失败。**既然市场经济是一个试验性探索的过程，那么业务失败就不可避免，任何消除失败的企图只能带来满盘皆输的后果。关键在于我们要认识到我们是在进行试验性探索，并相应控制好试验规模。

我们曾经忘记了自己是在试验，自以为是地冒险投资，结果使公司蒙受损失。20 世纪 70 年代初，我们在石油和油轮贸易上过度膨胀，就是其中损失最惨重的一个例子。1973—1974 年间，阿拉伯国家大幅削减石油产量，当时的局面令我们无力支撑，损失惨重。当然，反过来说，那也是一个很好的学习经历，但我不能肯定自己是否能够承受多一次如此严重的后果。

另一个失控的试验是我们企图把核心能力模式 (Core Capabilities Model) 运用于农业业务。当时，我们立刻从理念跳到全面实施，忽视了应用我们的试验性探索过程思维模式。我们本打算生产上好的牛排并以高价卖出，改良磨面和烘烤工艺技术，把废料转化为动物饲料（采用我们曾误认为是伟大的科学技术），同时创造出几项农业方面的其他重大成果。可是，没有一项获得成功，我们公司再次蒙受巨大的损失。

科氏工业集团经历的商业失败还不止这些，其他失败的案例还很多。然而，需要指出的是，我们已退出的许多业务，其本身并没有衰落，它们曾经成功，只是后来它们来到了生命周期的另一点上，无法产生核心能力或打造成继续发展的平台而已。对其他人来说它们或许有更多的价值。

商业失败并不是科氏工业集团发展道路上的唯一阻碍，我们还遇到过合作伙伴的纠纷问题，甚至还有与我父亲经历类似的几十年旷日持久的官司问题。我认为，大部分合作伙伴纠纷的产生，都是因为大家在企业发展的愿景上发生冲突所致。

科氏工业集团的诉讼案引起公众极大的关注，增加的行业法规、政治制度和司法诉讼方面所造成的负面效应被放大了，还引发了二十世纪八九十年代公众对政府调查工作的强烈指责和对媒体的猛烈抨击。为了企业的生存，我们决定建立一支具有国际水准的公共关系队伍，并很快予以落实了。该部门领导人是里奇·芬克 (Rich Fink)。通过把 MBM 的五个维度应用到法务部，政府和社区关系部，企业通讯部和合规部来予以实现。

这个公共关系部门几乎更新了科氏工业集团的方方面面，包括对员工的选聘、培养和薪资福利；公司进入和退出的业务领域；公司高层管理团队的选拔；信息系统以及对员工的集中教育和培训工作等。作为一家公司，我们必须保证"遵纪守法及诚实正直地处理所有事务"，不仅如此，我们还要建立一个机制，确保所有员工忠实于并完全遵守这条首要的指导原则。

由于差不多所有的政府指令都在不断改变、错综复杂且令人困惑，建立有效的合规机制要耗费很多年时间，其间还挫折不断。我们虽已加以改进，但仍未达到理想目标，还需要做相当艰巨的工作才能把合规机制与公司的各个方面结合起来。如今，科氏工业集团的合规机制涉及反托拉斯、环境保护和安全等 20 个领域，包括人才选拔、解雇、培训、系统、自我评估、审计、法务集成，甚至包括现有的某些特定业务领域的退出机制。我们把这些落实责任到个人并广开言路、集思广益，遵纪守法的机制才能真正发挥效力。

随着我们合规机制的建立及自我保护能力的加强，公司的发展速度再次得到了提升。我相信我们维持这种发展速度的能力取决于我们提高运用 MBM 能力的速度。与以前相比，我们现在正创造出越来越多的革新项目和发展机会，它们的规模或大或小，范围遍及公司内外。但我们并不打算止步不前，枕着这些荣誉睡大觉。我们每天都在努力奋斗，争取更加有效地运用 MBM 模式，把科氏工业集团打造成更能鼓舞人心、实现员工抱负的工作平台。

要想更好地应用 MBM 模式，就必须深刻理解该模式的几个维度，并且还需要把所有维度相互结合。本书以下几个章节将着重阐述这些维度，以及如何应用人类行为的科学发展它们。

　　寻求经济问题的解决办法，就如同踏上一个探索未知世界的旅途，努力去发现把事情做得更好的新方法。

The solution of the economic problem is a voyage of exploration into the unknown, an attempt to discover new ways of doing things better.

——弗里德利希·冯·哈耶克

弗里德利希·冯·哈耶克 20世纪西方著名的经济学家和政治哲学家，当代新自由主义思潮的代表人物。原籍奥地利，于1931年迁居英国并于1938年获得英国国籍。

1974年，鉴于哈耶克"在经济学界自亚当·斯密以来最受人尊重的道德哲学家和政治经济学家至高无上的地位"，他和冈纳·缪尔达尔 (Cunnar Myrdal) 共同获得诺贝尔经济学奖。

他一生从事教学和著述，自上世纪20年代以来，先后执教于奥地利维也纳大学、英国伦敦经济学院、美国芝加哥大学和德国弗莱堡大学等著名学府，主要著作有：

《货币理论和商业盛衰周期性》

(*Monetary Theory and the Trade Cycle*，1928)

《价格与生产》

(*Prices and Production*，1931)

《货币民族主义与国际稳定》

(*Monetary Nationalism and International Stability*，1937)

《利润、利息和投资》

(*Profits，Interest and Investment*，1939)

《资本的纯理论》

(*The Pure Theory of Capital*，1941)

《通往奴役之路》

(*The Road to Serfdom*，1944)

《个人主义与经济秩序》

(*Individualism and Economic Order*，1948)

《密尔与泰勒》

(*John Stuart Mill and Harriet Taylor*，1951)

《科学的反革命》

(*The Counter － Revolution of Science*，1952)

《感觉的秩序》

(*The Sensory Order*，1952)

《自由宪章》

(*The Constitution of Liberty*，1960)

《法律、立法和自由》

(*Law，Legislation and Liberty*，1973 － 1979)

第 2 章

The Science of Human Action

人类行为的科学

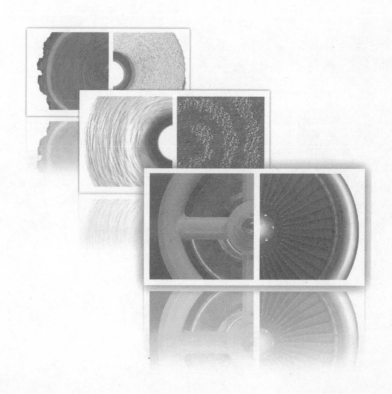

掌握基本原则的人能够正确地选择适合自己的方法并取得成功，而只尝试运用方法却忽视原则的人注定会遇到麻烦。

——拉尔夫·沃尔多·爱默生(Ralph Waldo Emerson)
19世纪美国著名的哲学家、演说家、诗人和杂文家

无论你是企业家还是大公司的普通员工，你必须了解你份内的工作，这是先决条件，没有什么可以替代这一点。

——弗雷德·科克

MBM 模式是一整套的管理方法，其理论结合实际，为各个组织成功应对发展和变革中遇到的种种挑战提供了原则和方法。MBM 模式创立的基础是人类行为的科学。

这门科学是研究人类如何通过有目的的行为最好地达到他们的目标。它综合了经济学、伦理学、社会哲学、心理学、社会学、生物学、人类学、管理学、认识论等多门科学的哲理。

人类在通往和平、繁荣和社会进步的路途中，经历了无数次的成功和失败，MBM 模式吸取了这些历史经验与教训。 所以，它研究了各国的经济发展史、社会状况、文化背景、政治局势、政府机构、矛盾冲突、公司企业、非营利性机构以及科学技术等方面。

本书将详细阐述 MBM 的五个维度，但最重要的——MBM 的真正威力是当对它们系统性和一致性地应用不久之后，它们会相互促进，发挥更大的效力。这确实是科氏工业集团的经验之谈。

这套科学的管理模式由五个维度组成，在下面的章节里，我将对这五个维度进行详细的阐述：愿景、品德和才能、知识流程、决策权和激励。

MBM 模式的五个维度

愿 景	确定组织在什么领域和用什么方式才能创造最大的长期的价值。
品德和才能	确保拥有适合的价值观和技能的人才被聘用，保留和培养。
知识流程	创造，获取，分享并应用相关知识，同时衡量和跟踪盈利能力。
决策权	确保合适的人在合适的工作上，拥有合适的授权做决定，并让他们承担相关的责任。
激 励	根据员工为组织创造的价值给予其相应的奖励。

MBM 模式在科氏工业集团的应用

科氏工业集团是加工资源性产品的重要企业，产品包括汽油、化工产品、聚合物、纤维、建材产品、包装材料、纸制品和加工设备。同时也做这些产品的贸易业务，从日常用品到金融工具可以说是一应俱全。我们有着卓越的长期业绩，因此，人们普遍认为我们是全球规模最大、最成功的私人企业之一。

2006 年，我们的年收入约为 900 亿美元，比 1960 年的 7 000 万美元年收入有了巨大的增长。如图 2.1 所示，1960 年对科氏工业集团投资的 1 000 美元，今天的账面价值为 200 万美元（假设红利再投资），是 S&P 500 指数（标准普尔 500 指数）类似投资回报的 16 倍。

值得一提的是，我们在成为拥有 7 万名员工的大公司之后，

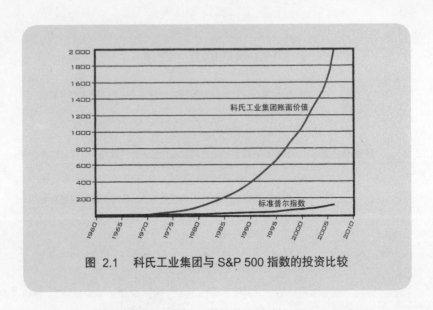

图 2.1　科氏工业集团与 S&P 500 指数的投资比较

依旧保持着高速发展的势头，这样的状态在大公司中非常罕见。例如，1917 年，《福布斯》首次公布美国最大的 100 家公司。70 年之后，《福布斯》发现其中 31 家公司依然拥有自主控制权，而仅有 18 家公司仍在全国 100 强之列，但是只有 2 家公司的业绩超过市场平均水平。尽管当时美国顶级公司的资产雄厚并且能力强大，但绝大多数都不能够持续地发展和成功。

我们采用自己的管理方式，历经几十载巨变而屹立不倒。能源价格周期性地起落，全球竞争日益激烈，世界范围内的政治地图发生巨大改变，规章制度和司法程序变得纷繁复杂，新技术改变了许多产业和公司，创新的脚步也已日渐加快。

几十年来，由于我们已经学会了接受及欢迎变革，科氏工业集团才得以日益成长起来。在市场大潮中，唯有变革才能永久矗立。公司、产品和经营手法都不断地被更加高效的公司、产品以及经营手法所替代。经济学家约瑟夫·熊彼特把这种现象精辟地描述为创新和破坏的过程。

约瑟夫·熊彼特论创新和破坏

工业发展的过程就是不断从内部革新经济结构，不断破坏旧结构，创造新结构的过程。这种创新和破坏的过程是资本主义的本质现象。

来自"价格和产量"的竞争并不是主要的，主要的是来自新商品、新技术、新供给和新型组织的竞争。

即便是成功的公司也要努力与时俱进，因为随着我们不断地取得成功，人类的本性使我们往往变得骄傲自满，墨守陈规，缺乏创新。战胜成功往往比战胜逆境更加困难。科氏工业集团因坚持不懈地运用MBM，在一定程度上遏制了这种趋势。

MBM模式让我们懂得必须长期持久地推动公司在各个方面开展建设性变革，否则就会失败。于是，我们通过内部和外部的发展与收购活动，不断创新，寻求更多的机遇。同时，我们舍弃了没有经济效益或对别人更有价值的业务和资产。我们认为，在公司内部推行创新和破坏是必须的，否则外部的创新和破坏就会令我们在行业中无立足之地。

MBM 模式的起源

MBM模式是基于让社会繁荣昌盛而非陷入穷困的原则建立的。它把组织看成是一个个各具特色的微缩社会，需要应用来自于社会的经验教训。在应用的过程中，我们开发了MBM模式的理论框架和不断完善的许多思维模式。

思维模式 (Mental Models)

思维模式是一种知识结构，把我们从周围世界中获取的无数信息予以简化和组织。从而形成我们的思维、决策、观点、价值观和理念。正如路德维希·冯·米塞斯所指出的那样："它们是理性掌握历史事件的必要条件。"根据迈克尔·波拉尼 (Michael Polanyi) 的说法，它们对科学的发展至关重要："正是通过对不同类别科学体系的同化，科学家的经验才变得富有意义。"要产生好的效果而不是坏的，思维模式必须与实际联系起来。而且，它们必须能够提高我们吸收新经验的能力，在这个过程中自身也得到完善。

然而，并非所有的思维模式都能反映实际情况。人们曾经认为地球是平的，并据此行动，尽管没有人发现地球的边缘并从那里跌落下去。这种错误认识的后果是延迟了许多伟大的发现，直到克里斯托夫·哥伦布 (Christopher Columbus) 这样的开拓者对那种思维模式提出了挑战，这种状况才最终结束。

思维模式的质量决定了人类在自然界里发挥的作用大小，在经济领域里也是同样如此。所以，科氏工业集团花费了大量时间，付出了巨大努力，使MBM思维模式符合实际情况，能在我们下属的各个公司在经营管理中加深理解并加以应用。依照错误的思维模式行事的公司注定会灭亡。我们必须不断提醒自己，仅仅因为我们相信或想让事情成为现实并不能保证它成为现实。正如参议员丹尼尔·帕特里克·莫尼汉 (Daniel Patrick Moynihan) 所说："人人都有权利坚持自己的观点，但却没有权利左右真实情况。"

好的思维模式除立足现实之外，还应能引导有效的行动，所以这还需要其他条件。它们既不可过于复杂也不可过于简单，缺乏关键驱动力或者忽略了可能导致的负作用。当没有达到预期的效果，我们就要对它们进行检验。与万事万物一样，它们必须经受挑战，不断完善。我们需要不断地扪心自问，我们的思维模式是否有错，就象当初人们认为地球是平的一样。

如上所述，MBM 模式是人类行为的科学在组织中的运用。系统地研究历史、经济学、哲学、心理学和其他学科的经典著作能够发现掌控人类福祉的某些法则。

经过研究，我们得出结论：**长期而广泛的繁荣昌盛只有在自由经济社会中才有可能实现。**没能生活在自由经济社会中的广大民众是不幸的，他们所过的生活，如霍布斯 (Hobbes，17世纪英国著名的哲学家、启蒙思想家，代表了英国资产阶级革命期间资产阶级上层的利益。——译者注) 所说："是贫穷、险恶、残酷和短促的。"

人类行为的科学不仅可以应用在社会和国家的宏观层面，也可以应用到组织的微观层面。我花了不少时间，终于搞清楚了引向社会繁荣昌盛的条件如何能够运用到建设公司这上面来。在我学习了一些经济学的基本概念，如机会成本、主观价值和比较优势之后，我本能地把它们应用到我们公司的管理中。我在这样做

经济自由和繁荣 (Ecomomic Freedom and Prosperity)

经济自由指数包括了很多影响人们在某一国家选择如何工作、生产，消费和投资的能力的因素。

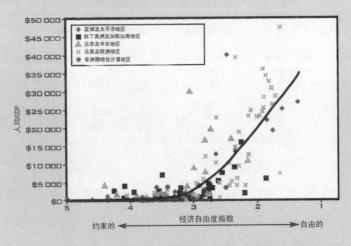

信息来源：2006 年度经济自由指数，美国传统基金会和道琼斯公司

图 2.2　2005 年人均 GDP 与经济自由状况

经济自由与人均收入的关系极为密切，与衡量幸福的其他重要指标也有密切关系，如平均寿命、环境质量、医疗卫生、教育状况和贫困下降比率等。

的时候惊奇地发现，**尽管经济系和商业学校教授过其中的一些概念，但它们很少，或者只是断断续续地应用到实践中。**

20 世纪 60 年代后期就有这样一个例子，尽管有一条基础概念被广泛传播，但没有得到广泛应用。当时我们要解决何时出售存货的问题。我建议立即卖掉所有存货，却被告知那时的市价低于我们原先的支付价，所以应等到价格上涨后再卖。我说，这不该是我们的衡量标准，因为我们已经付出的现在已成为沉没成本了。

沉没成本 (Sunk Cost)

沉没成本是无法挽回的过去的支出。在决定将来应该做什么时应该几乎不考虑这些成本。这是因为除了可能的税收影响外，它们和可以得到什么结果没有关系。

相反，我坚持认为我们的衡量标准应该往前看，应用机会成本的概念。只有当我们有充足的证据证明价格很可能会上涨而不是继续下跌时，我们才应保留存货。

机会成本 (Opportunity Cost)

机会成本是指因采取某一行动而必须放弃的其他最有价值的行动的价值。在做决策时，我们必须考查机会成本而不是看账面成本或者沉没成本，就是说，我们必须向前看而不是向后看。

后来，我们发现了应用机会成本概念的更有效的方法。为了鼓励员工的企业家精神，包括承担适当的风险，我们开始把丧失的机会中原本可获得的利润等同于投资失败导致的账面损失。

另有一例，我敦促销售人员了解每一位顾客的主观价值，并相应采取恰当的方式与他们打交道。

主观价值 (Subjective Value)

所有的经济价值起源于该物品给人们带来的价值，而不是它的成本。因为价值是主观的，它是不可衡量的。只有一个人的行动，而不是他说的话，才能给我们传递某个东西对他来说价值有多大这种信息。这被称为展现的偏好 (Demonstrated Preference)。如果某人买了一个苹果，我们就知道这个苹果带给他的价值要大于价格加上购买所需的时间和精力。因此根本就不存在均衡交易这回事。任何交易的双方都必须相信他们将会获益，他们才会交易。

如果有选择的话，人们会首先满足自己的最高价值需求，于是就产生了边际效用递减 (Diminishing Marginal Utility) 这一概念。由于人们会首先满足自己的最高价值需求，所以，随后使用的每一单位商品的价值都会低于前一单位商品的价值。这就能说明，为什么某物如果像水那样充裕，尽管总体比钻石的价值要高得多，但其边际价值却少得多。

比较优势这条原则告诉我们如何通过贸易促进繁荣。学完之后，遇到一个小组或一个公司内部的工作角色分配问题时，我们就可以用它。在招聘大量新员工，安排现有员工承担新角色时，我们运用这条原则的方法是：通过与其他角色和其他员工相比，安排现有员工担当最能发挥其能力的角色。这就需要对角色和职责进行持续的评估，否则，人力资源的分配就会因根据绝对优势而非比较优势的原则而逐渐退步，减少了它的有效性。当更换小组成员时，传统的做法是让新员工担任和他的前任相同的角色，其实这是不对的，相反，所有相关角色应当重新优化组合。

比较优势 (Comparative Advantage)

比较优势的原理本来是国际贸易学中的重要概念，现在被广泛地运用在各种竞争和合作的比较分析当中，而不仅仅是企业间贸易等方面的问题。

在生产活动中，相对于没有采取的活动可能创造出的价值，各个国家、组织和个人都拥有创造出最大价值的比较优势。双方互相交易，即使一方生产所有产品的能力都优于另一方，交易的结果也会使双方都受益。生产力较高的生产厂家专门生产其具备最大相对优势的产品并从中获益，而生产力较低的生产厂家则专门生产其劣势最小的产品，也能从中获益。

所有的国家都具有比较优势从而使得交易相互受益——即使某一个国家做大多数事情都比另外的国家高效。同样，即使是最没有优势的个人也有比较优势。

二十世纪六七十年代，公司规模不大，我可以在一些非正式的场合向公司领导层的成员灌输这些市场概念。每次例会，我都会提出一些相关问题让员工耳濡目染，如："我们考虑到机会成本或比较优势了吗？"看到这些基本概念发挥出如此巨大的能量，我不由得想要探究更加复杂的概念的潜在力量及其衍生的模式。例如，在生产能力过剩的商品生产企业中，很明显，价格取决于边际生产者的成本（若包括机会成本在内的总成本恰好等于市场价格，此时的生产者叫做边际生产者。这时，只要价格略有下降，这些生产者就会出现亏损。——译者注）。我们称之为定价机制。

定价机制 (Price-setting Mechanism)

　　定价机制是一套比较复杂的概念，需要理解边际供应商的含义。简单地说，边际供应商指的是生产成本最高的厂商，当无利可图时，他会减少产量。产量过剩时，竞争会迫使市场价格逐渐降低，直至降至边际生产商的边际成本或总成本（因行业不同而有所不同），而这个价格可以使厂商售出最后一个单位的产品或整个生产后收支平衡。

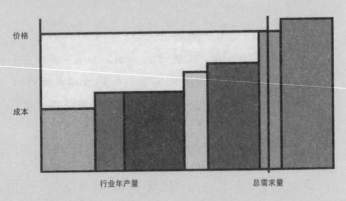

图 2.3　定价机制

　　图中每一个竖条代表一个厂商。竖条的高度代表厂商的成本，宽度代表其生产量。成本最低的厂商在左边，成本最高的厂商则显示在右边。当生产力过剩时，根据对将来需求的估计，该图可帮助预测价格的未来走势。

> 该图还表明了各家厂商的竞争地位。这个工具很有用，可用于分析竞争和投资情况，预测需求、成本和生产能力的变化对价格的影响。

图 2.3 所示模型可以帮助我们提高预测价格走向和确定设备竞争地位的能力。最终，它成为我们称之为决策框架 (Decision Making Framework，简称 DMF) 的基础。DMF 是我们的较高级的模式之一。

到了 20 世纪 70 年代后期，除了如何应用基本的和高级的经济学、哲学和心理学的概念并根据这些概念开发出思维模式和许多工具外，还有其他方面也变得愈发清晰。尽管 MBM 模式由这些概念或思维模式构成，但系统地运用它们所发挥出来的功效远远大于单独应用几个部分的功效之和。MBM 模式具有如此大的威力，是因为各个部分相辅相成。**只应用其中的某一项维度，如激励，也可以取得成效。然而，缺乏整体运用会使 MBM 模式的威力大打折扣。**

随着公司的继续发展和壮大，我们的知识储备和人才储备不断增大，同时也日益分散。结果，与我共同工作或接受我训导的员工比例日渐减少。我们从这些概念中受益的机会增加了，但与此同时，我们应用这些概念取得佳绩的能力却下降了。因此，我们要想办法更大规模地传授这些理论，扩大这些概念和思维模式的应用范围。

20 世纪 80 年代初，我们想努力攻克这个难题，于是就把经济学思想和思维模式融合到现有的管理体系中。当初我们以为这会是一个很有效的办法，能让员工们更广泛地接触到我们的理念、思维模式及其衍生出的工具。我们所选用的体系是威廉·爱德华兹·戴明〔W.Edwards Deming，被誉为"现代质量改进之父"。其学说反映出他的统计学背景，他的论文、学说及著作对统计方法做了进一步的延伸。他还鼓励组织采用系统性方法来解决问题，后来形成了"戴明循环"（Deming Cycle）或"计划实施研究处理循环"（PDSA）。——译者注〕体系。戴明体系帮助我们把工作系统化，并强调 MBM 模式中的一个方面——不断改进（Continuous Improvement）。我们采用帕累托图（Pareto Charts）、根本原因分析（Root-Cause Analysis）和统计过程控制（Statistical Process Control）等方法，使衡量我们取得进步的方法更清晰和有意义。

戴明论述"不断改进"

威廉·爱德华兹·戴明在强调我们需要不断改进时说："我们永远也走不出不断改进的圈子。"

我们取得进步的同时也获得了宝贵的教训。其中之一就是，只有在概念和工具能够提高工作效率时才加以运用。这让我回想起 20 世纪 80 年代中期的一次经历。在俄克拉何马州的梅德福有我们的一家液化气厂，当时我去厂里的配电车间视察，发现车间里的电工把大量时间用于搞测评活动和制作图表上，并没有在做电工活。员工们把这种工作称为"为查尔斯制表"。原来，许多员工以为我的目的仅仅是想得到图表或对生产活动的描述，而不是把它们当成提高工作效率的工具。令人遗憾的是，提高绩效、杜绝浪费没有成为大家关注的焦点，而测评活动和制作图表的形式本身却成为人们注意的核心。

我们还明白了不能把经济学原则和思维模式简单地嫁接到公司的现有管理体系中，即使是像戴明体系那样好的体系也不行。我的梅德福之旅暴露出来的问题说明，员工们对我们的概念理解得还不够充分，他们无法通过实际的运用取得成效。如果一个手里拿着锤子的人并没有真正了解锤子的用意的话，那么，在他眼里每个问题都看起来像一个钉子。

戴明的办法没有成功，但这次试验的过程让我们深刻地体会到应该如何衡量公司的主要发展动因——如何分析问题，杜绝浪费，同时也促使我们系统地阐述理论。只有这样，员工们才能把理论与实践结合起来。理论与实践紧密结合并正确应用所产生的效果远远大于单独应用理论或实践经验所产出的效果。

编制我们自己的理论框架，第一步是给它取个名字。1990年，我突然灵机一动，想到了"以市场为基础的管理模式"这个名字。我认为它既充分反映了市场原则的影响，又反映了建立一套理论与实践紧密结合的管理方法的现实需要。国家和组织相比毕竟有差别，所以我们面临的挑战是在公司内部发现或建立能够发挥市场经济威力的机制。

为了能够顺利地建立这些机制，我们成立了科氏开发团队，希望这支由公司内部的培训咨询人员组成的队伍，能够帮助员工们理解和应用我们的概念和思维模式，以取得成效。

起初，科氏开发团队无产品和服务可卖。从MBM模式中开发出的有价值的服务需要综合理论和实践，并集成那些能最大化促使我们的业务取得最佳成果的思维模式和各种工具。我们仔细研究了市场经济的重要概念和原则，希望从中构筑我们自己的理论框架。我们还成立了许多小组，专门研究财产权、公正的行为规则、价值观、文化、愿景、测评方式、激励机制和知识创造在构建繁荣社会过程中所起的作用。

　　有个问题曾困扰着科氏开发团队：有些组员过分强调理论，却不知道如何加以应用。虽然理论基础很重要，但单纯靠理论本身不足以取得成效。况且这个阶段我们的首要任务不是创造出更多的理论，而是建立个人知识，学会应用理论去创造利润。

个人知识 (Personal Knowledge)

　　化学家、哲学家迈克尔·波拉尼认为，我们只有把所学应用于实践，并获得相应的成果时，才能称为真正的理解，也就是拥有个人知识。骑自行车、打高尔夫球或下棋都是很好的例子。个人知识就是真正的消化理解，包括把概念性的知识转化为解决问题的有效手段，能够处理新问题并有创新发现。

　　建立个人知识需要改造自身，需要学习新的理论框架和思维模式，然后利用它们解决具体问题。个人知识其实就是理论和实践相结合的产物。经过良师的训导，如绘画大师或高尔夫职业选手的指点，个人知识会得到进一步强化。

　　个人知识是创新发现的关键。我们研究某一领域时，需要学习越来越多的专业知识，包括法则、事实、术语和各种关系。此时，我们对细节谙熟于心，于是就开始着眼于总体。尽管我们并不是总能说出对事物的了解程度，但是我们能够看出它们的构造，知晓它们的意义，感觉得到它们是否出了问题。这个方法能提高我们感知问题的能力，而且，在调查研究、面试求职者或者判断是否采取收购行动时能大大增加我们的机会。

创新发现过程的开端始于观察探讨现实和理想之间的差距，即使最初的结果或者画面并不十分清晰。因为直觉能够更好地告诉我们一些事情，它超越了我们所能想到的范围，我们必须鼓励员工积极地捕捉自己及他人的预感，而不是打击他们，以此营造善于创新发现的文化氛围。接下来，我们要努力清晰地说明自己的假设，并且一旦具体明确后，就要接受质疑和测试。经过质疑和测试的假设应该拿到实践中进行更广泛的测试，这整个过程起源于被努力应用来解决问题的个人知识的发展。

另外有些管理者不太了解或根本不理解理论，所以他们也不能指导员工如何应用这些概念获得成效。结果，这些概念几乎成为空洞的时髦口号。员工们用它们来证明他们正在做的事情很有道理就变得很正常，更糟糕的是，有的员工甚至用它们来证明他们想做的事情是合理的。所以，学会克服形式高于实质这种趋势，是运用 MBM 模式取得成效的关键。

理解不当造成的另一个问题是，员工们往往把 MBM 模式当成僵硬的公式加以应用。他们解释 MBM 模式的细枝末节，精确地规定 MBM 模式的应用方法，这种做法削弱了运用 MBM 模式取得成就的能力。因此，认识并遏制这种把任何事情强行官僚主义化的普遍趋势，是前进的另一个重要步骤。

现在我们已能更好地发现这些趋势并进行妥善处理了。为了充分发挥 MBM 模式的威力，组织必须避免无效益的行为趋势，还要持之以恒地提高内化和应用正确思维模式的能力。这需要最艰难、最痛苦的全面变革，这将改变我们的思维方式。完成这一变革，要求我们根据思维模式集中力量，长期努力，培养新的思维习惯。只有经过不断实践，新的思维模式的应用才能取得成功。

值得称道的是，科氏开发团队尝试了内部市场并且大大扩展了计分卡的使用。它帮助我们认识到根据实际经济情况进行衡量的价值。同时提醒我们，**要正确地领导经营活动，就必须评估那些能够产生成效的东西，而不仅仅评估那些易于评估的东西**。例如，对员工进行绩效评估时，如果只看他们对眼前利润做出的贡献，而不看他们对长期利润和企业文化建设的影响，那么我们就会在不经意间鼓励员工短视。

尽管科氏开发团队已不存在（它已化身为科氏工业 MBM 团队），但它的组建是我们教育员工、开发公司理念的重要步骤。

1995 年前后，通过运用 MBM 模式的一整套工具，公司取得了突破性进展。这表明，这五个维度必须耦合在一起进行整体的运用，威力更大。

我们还从这套工具中衍生出 MBM 问题解决流程 (MBM Problem-Solving Process)，这极大地提高了解决问题的能力和创新能力。这个成功的事实向持怀疑态度的人们展示了 MBM 模式的强大威力，进一步证明了这一模式的潜力。于是，越来越多的人愿意接受波拉尼的说法，即"转化过程中的自我修正行为"(self-modifying act of conversion)，把新的思维方式应用于实践活动。对我们来说，就是运用 MBM 模式来取得成果。

在一个政治世界中应用 MBM

20 世纪 60 ～ 80 年代，科氏工业集团通过运用基于市场的原则发展起来。然而，正当我们把引致成功的机制进行整理和系统化时，各个国家的管理规则、政策法规和司法制度也有了迅速的发展，令我们猝不及防。当然，对此毫无准备的不仅仅是我们一家。这些变化无一例外地打击了各个企业创造真实价值和促进社会繁荣的能力。

在商业运作受到越来越多的管制时，我们却仿佛置身于纯粹的市场经济中思索问题，采取行动。但实际情况大不相同，世界各地的政治局势远比市场形势更加变幻莫测，经济学法则似乎离世界越来越远。

这个事实需要我们做出文化上的改变。我们需要毫不妥协地要求100%的员工在100%的时间内遵守复杂的和不断变化的政府法规。努力遵守每项法规并不意味着我们认同每项法规。但是，即使面对那些我们认为会降低效率的法律，我们也必须首先做到遵守。只有那样，我们才能得到政府管理机构的信任，可以与他们对话，进而向他们陈述别的更加有益的方案。如果这些努力全然无效，我们再与其他企业一起采取教育和政治方面的努力来改变法律。

趋向于更多的管制和诉讼的部分原因是，越来越多的人认为，大企业就是阴谋家的集团，他们不为社会繁荣做贡献，而是采取不诚实的手段，利用政府和司法机构，非法地填充自己的腰包。最近，几家大公司领导者因缺乏谦虚和诚实正直，导致公司全面失败，这就更加深了人们固有的观念。我认为，正确运用MBM模式提供了解决这些问题的一种途径。

政府当然有权力颁布法律，但若要使法律促进社会繁荣而不是破坏社会繁荣，则它必须与其他事物一样平等地适用于社会的各个方面。一家公司不能因为规模小或受到政府青睐就免受环境污染物排放法规的制约。**我们认为，要建立一个自由繁荣的社会，就要根据人们做出的贡献来看待他们，而不能根据他们所在的组织性质来对他们进行评判。**同样，所有的企业在法律面前应当一律平等，不能因其规模、利润率，或其在行业中或政治上的影响而区别对待。

在当今世界中，公司仅仅满足顾客的需求还远远不够。公司的声誉对于公司在别人心目中的地位以及公司的长期健康发展至关重要。我们必须实事求是地建立公司的良好声誉，否则，别人就会通过凭空捏造或恶意中伤，来给我们"冠上"一个我们不喜欢的声誉。一个真正良好的声誉是建立在以正确的原则做出行为，创造真实的价值，达到良好的合规表现，切实履行承诺的基础上。而真实的表现亦需要做出沟通和传播。只有这样做，而不是耍花招或进行虚假宣传，才是树立长期的良好声誉的关键。

经济与政治方法

弗兰茨·奥本海默〔Franz Oppenheimer，著名社会学家、政治学家。因著有《国家》(*The State*) 而引起理论界轰动。——译者注〕明确区分了人们利用资源满足愿望的"两种根本相反的方法"。第一种是经济方法：生产者创造价值。第二种是政治方法：掠夺者合法或非法地实施掠夺。

获利的经济方法包括相互自愿地与他人交换商品或服务。只有双方都认为各自获利的情况下才会产生自愿交换的行为。所以，你在一个自愿交换的市场中只有通过让他人获益，才能使你长期获得利润。

获利的政治方法则是通过强迫或欺诈的方式把商品或服务从一方转移到另一方。强制或欺诈的交换至少会使一方的利益受到损害。这样的例子有：偷窃、欺诈、污染，采用不安全的操作方式、提起无由诉讼、游说政府打击竞争对手或谋取补助，以及提出利己的重新分配方案等。经济方法通过使每一位交易的参与者乃至整个社会获得利益而创造财富。而政治方法充其量只是重新分配财富，所以从整体上来讲，它导致绝大多数人的利益受到损害。

一个组织还可以通过这个途径与各行各业中拥有共同价值观的人建立信任和互利的关系——这些人当然是生产者而不是掠夺者。保持这种关系需要全体员工以有原则的方式做事。这样，公司不仅能在行业中屹立不倒，而且还有机会与各级政府部门中善意的人一起努力，制定出立足现实、促进繁荣、增加全体人民福利的各项法规。

下页的表格总结了人类行为的科学应用在社会（自由的科学）、组织（MBM 模式）和个人的情况。本书的第 3 ～ 7 章将详细论述 MBM 模式的每一个维度。

表 2.1　人类行为的科学的具体应用

应　用	愿　景	品德和才能
自由的科学： 社会如何才能最好地实现长期的和平，文明和繁荣。	能够最大化选择的自发秩序体系创造持续的繁荣和社会进步。	有益的公正的行为规则－法治和行为规范－被公众理解和奉行。
MBM： 组织如何才能最好地生存，成功和长期的成长。	确定组织在什么领域和如何才能最好地在社会中创造价值，通过试验性探索的过程长期最大化自身的价值。	确保拥有适合的品德和才能的人被聘用和保留。营造基于 MBM 指导原则的文化氛围。
个人业绩： 个人如何才能最好地发展，贡献和发挥潜能	理解你的目标和比较优势，并且如何能为自己，所在的组织和社会创造最大的价值。	理解并持之以恒地做出符合 MBM 各项指导原则的行为。

知识流程	决策权	激　励
言论自由和基于合理的规则和财产权的市场信号（价格，利润和亏损）发挥作用。	根据创造的价值和比较优势获得清楚的和可靠的财产权。	根据在社会中创造的价值而得到利润或亏损，这种机制使得人们受益。
确保知识被最佳地获得，分享和应用。在任何可行的情况下都要测量计算盈利能力。	确保合适的人在合适的角色上，并拥有合适的权力。员工知道负什么责任，并且承担相关的责任。	根据员工为组织创造的价值给予相应的奖励。
探索和分享知识，并且确定什么是盈利的。坚持不懈地通过试验性探索来创新和学习。	寻求那些你有比较优势的角色并且获取必需的资源。	做你有激情做的并有最高回报的事情。

爱因斯坦进一步归纳他的愿景，从中得出一系列令人
震惊的新结论。

*Einstein went on to generalize his vision further
and to derive from it a series of new and surprising
consequences.*

——迈克尔·波拉尼

迈克尔·波拉尼 (1891—1976)，英国化学和科学哲学家。生于匈牙利的布达佩斯，1976年2月22日卒于北安普敦。1909年进入布达佩斯大学学医。1913年获医学博士学位。1914—1918年任军医。1920年在柏林任威廉皇家纤维化学研究所研究员。1933—1948年，任英国曼彻斯特大学物理化学讲座主讲。1944年当选为英国皇家学会会员。

波拉尼对物理化学的贡献主要在化学动力学，特别是在反应速率理论方面。早在1920年，他就用稳态近似法得到反应速率方程。1928年他提出了激发态分子自发分解的理论解释(弹性介质理论)。波拉尼的另一重要贡献是在反应速率的过渡态理论方面。1935年他几乎与艾林(H.Henry Eyring)同时提出反应速率的过渡态理论，他总结出了估算同系列反应活化能的经验公式 $\triangle E = \alpha \triangle H$，沿用至今。

波拉尼进行的研究工作还包括用乙烯在镍上加氢的反应机理、用光活性分子研究旋光转化中消旋化的反应机理和用氧同位素研究酯类水解反应机理等。他先后获得普林斯顿大学(Princeton University)、利兹大学(The University of Leeds)、剑桥大学(University of Cambridge)和曼彻斯特等大学(University of Manchester)的名誉理学博士的称号。著有《原子反应》(1932)和《个人的知识》(1958)等书。

第3章

Vision

愿景

无愿景之地，民不聊生。

——谚　语

哥伦布憧憬着另一个世界，结果，他发现了美洲；哥白尼认为世界具有多重性，宇宙更为广阔，结果，他证明了这一点；佛祖憧憬着一个无瑕、美好、完美、和平的精神世界，结果，他参悟了禅境。

——詹姆斯·艾伦 (James Allen)
被称为英国 20 世纪的"文学神秘人"

切实有效的企业愿景应源于并归结于创造价值，这也是公司存在的唯一理由。**在现实的市场经济中，公司要想生存并且长期兴旺，就必须开发并运用它的能力为客户和社会创造出真实、持久的最佳价值。**

创造价值

客户认为公司提供的产品或服务的价值高于其他替代产品的价值，则公司就成功地创造了价值。公司在生产时，消耗的资源越少，就可留下越多的资源满足社会的其他需求。创造价值包括让人们生活得更加殷实，为社会的繁荣昌盛贡献力量。

在市场经济中，企业的职责就是创造价值。不能创造价值的企业不能提高人民的生活水平。事实上，破坏价值的企业对我们的生活危害极大。当企业生产的产品不能获利时，企业其实是在掠夺资源，使资源无法创造出更高的价值；企业若是浪费资源，则是从根本上阻断了资源的有效利用。在这两种的任何一种情况下，都表明利润回报较低的企业应该进行重组，卖给实力更强的企业或者干脆关闭。

公司能否长盛不衰，取决于公司创造价值的大小，为提高人民生活水平和社会繁荣做了多大的贡献。真正自由的市场会设立有益的各项规则和清晰界定的产权。所以，长期利润率可以正确地衡量企业创造出的价值。

创造出色的价值意味着从消耗的资源中生成的价值要大过于该资源以其他途径所创造的价值。我们说的资源不仅指资本、原材料，还包括劳动力、知识产权及其他投入。把资源转化为顾客认为有更大价值的产品或服务，或者通过消耗更少或更低机会成本的资源来提供产品和服务，都是可以创造出出色价值的。例如，科氏旗下的各家公司把原油转化为石油等产品，把化学制品转化为用于生产地毯和衣服的纤维等，就是创造了更高的价值。如果我们可以用更少或者更便宜的原材料生产这些产品，所节约的资源可用于满足其他需要，那么即使我们再降低价格，利润也会上升。如果我们依照正确的原则组织生产，那么我们就是在采用经济的方法为社会创造真实的价值。

市场经济能够协调不同人群之间的各种利益关系，极大地提高企业创造价值的能力。我们往往只考虑自己的利益，然而在真实的市场经济中，我们只有为他人提供了有价值的东西时自己才能兴旺起来。经济学家亚当·斯密 (Adam Smith) 对这个过程总结道："不是由于屠夫、酿酒师、面包师的仁慈我们才可以吃到晚餐，而是由于他们关心自身利益。"

自身利益 (self-interest)

亚当·斯密说的自身利益就是托克维尔〔Tocqueville，法国历史学家、社会学家。主要代表作有《论美国的民主》第一卷 (1835)、《论美国的民主》第二卷 (1840 年) 和《旧制度与大革命》。其中《论美国的民主》使他享有世界声誉。——译者注〕所说的开明的自身利益，即人们通过利人来利己。"美国人喜欢用人人皆知的利益原则解释生活中几乎所有的行为。他们骄傲地向人们宣告，这种开明的方式是如何不断地推动他们互相帮助的。"

在实施有利的交换规则的这种社会体制中，这种相互的自身利益最为适用。正如弗农·史密斯所强调的那样，这些规则是"所有权在同意时可转让，按照承诺履行法规。"这种体制鼓励人们采用经济方法获益，排斥采用政治方法谋利。

问题的关键不在于是否应该有自身利益，而在于如何引导自身利益。"没有人能够在一个资源稀缺的世界里，不考虑自身利益而继续生存。自身利益也包括造福于自己的家庭成员和亲戚朋友。然而在与陌生人打交道时，自身利益以两种方式表现出来：侵略或合作。"社会或组织若要长期繁荣昌盛，就必须制定规章制度和激励机制，促成和奖励开明的能够实现双赢的行为——即合作的方式，同时禁止和惩罚破坏社会繁荣的破坏性自利——即侵略的方式。

即使人人都在追求自身利益，即使没有广泛的社会性计划，秩序也会自然产生。因为这种秩序不是由中央计划产生的。弗里德利希·冯·哈耶克称之为自发秩序。在市场经济中，生产者和消费者都有许多选择和机会。新的产品和生产方式不断涌现，终将替代旧的产品和生产方式，所以现有的生产企业始终面临着不断变化的挑战和机遇。

自发秩序 (Spontaneous Order)

亚当·斯密和弗里德利希·冯·哈耶克等学者都已证明自发秩序是创造繁荣的唯一方式。自发秩序是人类行为的自然结果，不是人类精心计划的结果。亚当·斯密曾把它描述为"看不见的手"，在市场经济体制的引导下，人们"促成了一个不是出自他们意愿的结果"。哈耶克认为，创造繁荣就要把分散在社会中的知识用于生产，而且这些知识"不能收集并传递给以意图创造秩序为任务的权力机构"。相反，只有在根据私有财产、公正的行为规则（包括法治）和自由市场建立起来的具有自发秩序的体制中，分散的知识才能用于生产。迈克尔·波拉尼认为，科学就是在他所称的科学共和国 (Republic of Science) 相类似的自发秩序中进步的。

接受及欢迎变革

既然现实社会中存在着创新和破坏，以及自发秩序，那么企业该如何确定选择何种机会呢？办法就是制定企业愿景，并以它为指导，为社会创造出最佳价值。我们已知，在一个行之有效的企业愿景的指导下，企业会创造出长期的价值。历史证明，长期创造利润的组织能够不断满足人们的需求，而那些不能满足人们需求的组织则往往被淘汰。还记得本书第 2 章曾提到的《福布斯》名单上的成功公司吗？1917 年上榜的全美最大的 100 家公司绝大多数都已经在 70 年后落榜，而且许多公司已销声匿迹，这是为什么呢？因为它们没能继续为社会创造出价值，因此无法产生足够的利润。随着时间的推移，它们为社会创造出来的价值越来越少了，终于退出了历史舞台。我们需要制定能够引导我们创造越来越多价值的企业愿景。

制定切实可行的企业愿景，首先要找到组织为社会创造最佳价值的方式。企业愿景的描述就是组织可以创造高价值的计划和想法，它建立的基础是真实评估公司的能力（以及它需要改进和需要增加的新能力），详细分析并确定公司能够利用自己的能力创造最大价值的机会。被制定的愿景应当指导组织的一切活动。

公司在制定愿景时应当考虑到，随着时光的流逝，竞争会逐渐削弱每种产品或每次变革的利润率。竞争对手一直在孜孜不倦地寻找成本较低的生产方式和能够降低市场现有产品利润率的优质新产品。这就是熊彼特所说的创新和破坏的过程。

在产品的生命周期内，利润率的降低虽然不可避免，但是，公司为了使其利润最大化，必须减缓这一过程，同时不断更新它们或以新产品替代它们。延缓利润率衰减的战略措施有：建立良好的客户关系；凭借质量和一致性长期维持强势品牌；开辟难以被复制的营销渠道；签订有利的长期销售或供应合同；研发新的应用方法；利用专利、保密和合同来保护知识产权，以及争取先于竞争对手改进质量与成本的关系。

世界不是一成不变的。乔治·威尔〔George Will，20 世纪英国著名文学家，代表作有《动物农场》(Animal Farm)。——译者注〕提醒我们："未来会不告而至。"竞争对手不断自我完善，顾客的需求也在日新月异，所以，无论目前公司的产品和服务多么有优势，也要在改善和创新方面至少与竞争对手保

持同步，只有这样才能在业内立于不败之地。若要成功地做到这一点，企业愿景、策略、产品服务和方法必须应用试验性探索以及创新和破坏的过程。所有的企业都必须不断创新。

英威达室内饰材业务 (INVISTA Interiors) 给我们提供了一个很好的例子。它向我们证明，正是通过周而复始的试验性探索、创新和破坏、革新和预测顾客需求这几个过程，公司才得以长期发展起来。杜邦公司以化学产品为基础，集中发挥产品和工艺创新的比较优势（或核心能力），开创并发展了 STAINMASTER® 品牌的地毯业务。随着英威达公司各项业务趋于成熟，竞争也日益加剧，新的核心能力，如业务创新和卓越运营就要发挥作用，保证公司能够长期兴旺。这导致杜邦公司逐渐产生了把英威达出售的意向，因此我们于 2004 年收购了英威达。

试验性探索过程 (Experimental Discovery)

弗里德利希·冯·哈耶克这样解释试验性探索过程的必要性："寻求经济问题的解决办法，就如同踏上一个探索未知世界的旅途，尝试去发现更好地做事的新方法。经济问题是由于无法预知变化而造成的，而且这些变化要求人们去适应和调整。"既然未来是未知的，因此我们永远不能确切预测哪项投资将会盈利。在公司内部推行创新和破坏的过程时，我们必须坚持进行大量有根据的试验，确定哪些新型产品、工艺、方法和业务将会成功。考虑到可能发生的风险，未来的潜力以及我们能够承担的损失成本，这些实验的规模需要加以限制。

当时，杜邦公司旗下的室内饰材业务领导深知，公司要想生存发展下去，就必须不断更新产品。他们原先生产的尼龙地毯产品尽管因其抗污性能超群而备受青睐，但是，由厚纤维织成的地毯手感比较粗糙。如果当初公司仅仅依赖抗污性能的优势来保证产品盈利的话，那么公司早就败给竞争对手了。如图 3.1 所示，原先产品的生命周期大约为 10 年。后来的创新技术在保持抗污性能超群的同时，增强了地毯的柔软性，还增加了一些其他特性，如经久耐用、色泽艳丽等。目前的地毯包含最新的创新成果，品质更优，柔软性更好，其抗污抗尘性能也得到了进一步提升。只有不断努力地领先对手、预测顾客的未来需求，才能推动创新长期连续地发展下去。

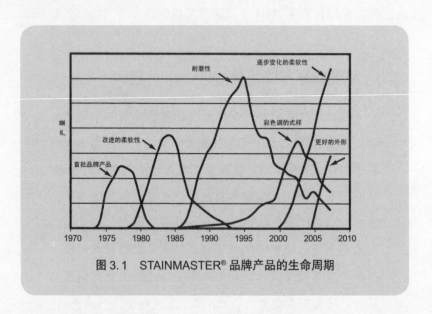

图 3.1 STAINMASTER® 品牌产品的生命周期

保证产品的开发持续成功，不仅需要高品质的研发部门，还需要一个营销、生产部门。这个部门要能看准机会，还要有一定的能力，自律，及拥有能捕捉机会的企业文化氛围。同时，公司的各个业务部门，包括从采购、生产到营销的各个环节，都要有创新精神，而人力资源、会计、法务、合规和其他支援部门也是如此。科氏工业集团在这些方面实力雄厚，因此，英威达在我们这里的发展如鱼得水。

预测和创新

产品开发仅仅能够满足顾客的喜好，这还远远算不上成功。**公司不仅要能满足顾客当前的需求，而且还要能预测顾客新的需求，这样，公司与顾客才能达到双赢的结果。**所以，向顾客咨询他们未来的需求很重要，但事情不能到此为止。通过重点咨询小组以及顾客调查往往能够从当前产品的情况中透露出一些未来需求的信息。当然，如果咨询的内容仅限于目前的产品，那么结果也很可能出错。倘若你现在不知道该有些什么选择，那就很难说将来你会做出何种选择。

例如，20世纪70年代，有人问处理大量信息的技术人员，将来他们会使用何种计算机时，70%的人声称将会使用IBM的主机。但是，我们当中有谁能想到信息技术会发生如此惊人的变化呢？几十年前曾被问到的那些人当然想不到，他们中有许多人现在正在使用价值仅500美元、能连接互联网的个人电脑呢！

有人认为，顾客不投诉就是表示满意，这很自然。但是，这种想法会令我们在不知不觉中进入自满状态，容易遭到创新和破坏的打击。一般来说，在亲眼目睹之前，很少有顾客知道他们将来需要什么。然而，对于公司来说这种必不可少的洞察力却是成功的基本条件。

企业必须努力延缓产品的生命周期，持续创新并预测顾客的未来需求。除此之外，企业还必须认识到是否和何时需要出售一项资产或业务。一般来说，买主的出价超出所有者对资产剩余价值的评估时，资产就应该卖掉。因为这个时候，产品衰退的速度超过所有者进行创新的能力。在科氏工业集团，我们不会卖掉具有核心能力或发展平台的资产。

每个公司当然希望得到出售资产的最大价值。于是，可以设想对他人而言资产或业务更有价值的种种原因。潜在的买主也许不会相信这项业务会衰退得如此迅速，他们也许会认为对方出售的资产与自己拥有的资产相结合能发挥出更大的作用，或许他们具备卖主所欠缺的实力或创新技术。简而言之，买主的愿景是不同的。

那我们如何制定企业愿景呢？建立有效的企业愿景需要知道组织为社会创造超额价值且获得最大利益的方法。首先，切实评估公司的核心能力（现有能力、升级能力或新能力），初步确定这些能力创造最大价值的机会。必须根据机会所在行业的发展趋势，在组织内形成一个观点 (Point of View)，进而证实原先的初步决定。

在整个科氏工业集团中，我们的优势明显且可持续，富有竞争力，因为我们具备六大核心能力：MBM 模式、创新、卓越运营、贸易、卓越交易和良好的公共关系。由于这些能力对科氏工业集团未来的发展至关重要，所以我们从理论、观察、实践和测评等几个方面构筑实力，同时持之以恒地完善并增补这些能力。我们在各个分公司建立专门的小组，来专门提高这些能力的应用，总公司的小组也会给予支援。

一种观点的形成需要经历深入、系统的全球性研究工作。我们要研究产业的历史渊源、技术力量、竞争状况、客户状况、适用法律和进入壁垒，以及这些因素发展变化的新情况，然后分析该产业的价值链和成本构成、产品的未来需求、产业中各个厂商的竞争地位和其他相关要素，力求找到产业中各个部分的未来发展动力，了解产业的各个环节的利润率水平。

根据分析所得出的观点，我们会调整对最佳机会和抓住最佳机会方法的判断。在整个分析过程中，我们就可以确立企业愿景，清晰地阐明创造最佳价值的计划。这个愿景必须具体明确到能够指导行动，而且符合科氏工业集团的愿景。

科氏工业集团的愿景

应用 MBM 模式来判断和抓住那些可以利用我们的能力创造最大价值的机会，且开发和实施可以使价值长期最大化的战略。目前代表我们的最大竞争优势、并使我们能够创造出最佳价值的核心能力有：

MBM	愿景，品德和才能，知识流程，决策权，激励，各项指导原则和 MBM 思维模式
创 新	创新和破坏，自律的自由，试验性探索过程，研发，技术网络，衡量基准，并购，营销和塑造品牌以及知识产权战略
卓越运营	合规，环境、健康和安全措施，业绩与成本效益，衡量基准和捕获有价值的投资机会的眼光
贸 易	形成观点，制定策略，买卖资产，期权交易，风险管理和执行机制
卓越交易	机会搜寻，自主创新网络，决策框架，尽职调查，投资组合最优化重组
公共关系	法务，信息沟通，社区关系，慈善事业和政府公共政策

为了能够实现长期的成功，科氏工业将持续地提升这些能力，并且发展额外的核心能力。

我可以用我们 2005 年 12 月收购乔治亚—太平洋公司的例子来说明愿景如何运作。2002 年之前，我们已经确定，我们的核心能力能够在森林产业中创造价值，并且开发了我们在该产业的哪些环节有最大潜力的观点。

我们相信，MBM 模式能够帮助愿景的建立经济性思考、衡量、知识的产生和共享，决策及激励。创新能力不仅适用于产品开发和工艺流程，还适用于价值创造过程中的各个环节。卓越运营能力可以改进合规，降低成本，提高绩效。贸易能力能够增强原材料和能源的购买力，促进产品销售及选择能力，并促成一个贸易业务的产生。卓越交易能力可提高创造机会的几率，增强分析能力和财务管理的条理性。公共关系能力能够提高法律诉讼的预防和辩护，还能提高应对来自政治和与各个沟通方面的挑战。正是基于这些认识，2004 年我们与乔治亚—太平洋公司商谈，随后购买了该公司的两个纸浆厂。纸浆业务进展得非常顺利，我们大受鼓舞，于是开始在林业和消费产品领域寻找更多的机会，最终我们收购了整个乔治亚—太平洋公司。

从科氏工业集团的企业愿景和纷繁多样的业务中，可以很明显地看出，我们认为自己受到的是能力的限制而不是行业或产品的限制，这一点在目前更具代表性。

在科氏工业集团，企业愿景的制定过程同样可以应用于我们正在从事或我们打算进入的行业。对我们而言，新的机会既存在于传统产业中，也存在于新兴产业中。所以，科氏旗下各个公司在现有产业的内部和外部均应用这个企业愿景的制定过程。这个过程的关键之处在于，在考虑公司的能力和承担风险的态度时，既考虑单个公司又考虑整个科氏工业集团。

确定优先级

公司根据企业愿景制定和实施各种策略，促使长期价值（长期盈利能力超过资本成本）最大化，就需要确定发展的优先级。在一个复杂的大公司里，确定做事顺序与确定做什么事同样重要。

确定发展的优先级至少需要两套准则。第一套准则包括采取必要的行动计划，让公司得以营运下去，如在最后期限内服从政府法规，或满足重要客户的质量或数量要求。第二套准则取决于差距分析结果。差距分析是用来评估风险调整后的机会的现时价值与消耗的资源（如稀缺人才或资本）之间的关系。于是，在需要消耗大体相当的资源时，风险调整后现时价值为1亿美元的机会要优越于价值2 000万美元的机会。如果没有这个方法，很可能是"眉毛胡子一把抓"，这就意味着没有一件事情能够迅速做成或做好。

公司根据企业愿景确定了发展的优先级后，还要为营销、运营（下至各个工厂）、采购、研发和支持等各个部门制定发展的优先级。各个部门必须为实施这些优先级分配责任。确定采取的措施和实施顺序时，必须要考虑机会成本。

长期价值最大化的实现还需要确立一个试验性探索过程，鼓励新的技术、新的策略和各种创新活动。我们在试验时可能会失败。爱因斯坦曾经教育我们："从未犯过错误的人意味着从未尝试过做新的事情。"关键是要认识到我们在试验，并根据现实情况建立愿景。我们曾经在这方面犯过错误，公司也因此受到了伤害。

在海运和农业方面，当初我们未能够制定出立足于现实的愿景，没有意识到我们其实没有能力在如此艰巨复杂的事业中获得投资胜算的把握，结果我们失败了，这就是惨痛的教训。只有在完全重组之后，该业务才扭亏为盈。新的能力被开发，导致愿景被更新。例如科氏氮肥公司和牧牛公司，就曾经是经营失利的科氏农业集团公司的子公司，如今这两家公司发展得非常成功。科氏氮肥公司把愿景重新定位为在全球范围内运营、经销和贸易的化肥公司。由于公司坚持严格实行以市场为基础的管理模式，最终实现了经修订后的企业愿景。牧牛公司也是运用 MBM 模式，才把重新制定的企业愿景变为现实的。

对于一个老牌的组织而言，制定企业愿景的过程很少是线性的。恰恰相反，这个过程是曲折反复的，企业愿景也处在不断变化的状态之中。每一个愿景在出台的同时，也种下了自我毁灭的种子，这就是创新和破坏的结果。

尽管愿景会随着时间而变化，但是组织还是有必要形成一个得到大家理解和支持的共同愿景。所以，整个组织的各个部门必须有效沟通，讨论已制定的企业愿景。全体员工了解了公司的愿景以及创造价值的方式之后，就能够集中精力在愿景上，并分配好优先级。共同的愿景能够指导角色、职责和要求 (Role, Responsibility & Expectation) 的制定。每一个愿景都应该回答这样的问题："我们应该努力做些什么？"以及"我们将如何做？"我们的企业愿景必须指导我们的一切行动。**行之有效的愿景是组织取得长期成功的源泉。**

　　有些人天生就是贵族，那是因为他们品德高尚，才能出众。

　　There is a natural aristocracy among men. The grounds of this are virtue and talents.

　　　　　　　　　　——托马斯·杰斐逊 (Thomas Jefferson)

托马斯·杰斐逊 (1743—1826),是与华盛顿和林肯齐名的美国总统。他生于弗吉尼亚一个富裕的家庭,大学时就读于威廉与玛丽学院(College of William and Mary),并于1767年在弗吉尼亚获得律师资格。1769年,他当选为弗吉尼亚下院议员,并积极参加独立运动,而且代表弗吉尼亚出席大陆议会。他两次当选为弗吉尼亚州长,还担任过美国驻法大使。

托马斯·杰斐逊是美国独立运动的积极领导者和组织者,并且还是《独立宣言》的起草人之一。他前后从事政治活动达60年之久,在美国人民的心目中是一位伟大的英雄。杰斐逊是资产阶级民主主义思想家,主张人权平等、言论、宗教和人身自由。杰斐逊任总统期间,美国从法国人手中"购买"了路易斯安那地区,使美国领土扩大了近一倍。他还派遣远征队西行,使美国的西部边界伸向太平洋海岸。他在执政期间进行过一些民主改革,领导了反对亲英保守势力、争取保持资产阶级民主的斗争,起了积极和进步的作用,为美国资本主义的迅速发展准备了条件。

杰斐逊好学多才,兴趣广泛。他是土地测量师、建筑师、古生物学家、哲学家、音韵学家和作家。他懂拉丁语、希腊语、法语、西班牙语和意大利语。他还对数学、农艺学和建筑学,甚至提琴等感兴趣。被人们称之为天资最高、最多才多艺的美国总统。杰斐逊一生著述很多,涉及问题很广,后人为纪念他,出版了他的文集共20卷。

第4章

Virtue and Talents

品德和才能

小人畏法，君子怀德。

——中国格言

最高尚的品德是对他人最有益的品德。

——亚里士多德 (Aristotle)

显然，才能很重要。然而，正如托马斯·杰斐逊所言，品德至少和才能同等重要。一个组织若要经受得起时间的考验，真正长盛不衰，必须同时强调品德和才能。

在社会中实行哈耶克所说的"公正的行为规则"，这在科氏工业集团里体现为推行某种核心价值观。我们把这些价值观融入到MBM模式的各项指导原则 (MBM Guiding Principles) 和公司的员工行为守则 (Code of Conduct) 中。

公正的行为规则

社会中公正的行为规则既包括法治，也包括行为规范。公正的行为规则不是一套专门的规则，而是用来衡量所有法律条文的普适标准。

法治 (Rule of Law) 约束政府的权力，限制政府任意修改法律条文的权力，即使在大多数人想要修改法律的情况下也是如此。它也意味着法律必须适用于所有人，而且法律面前人人平等。法治保障了对待的平等 (不是结果的平等)，个人自由和选择。这样的法治能够促进社会文明、繁荣和进步。正确实施法治能够有效地保护个人权利，使政治局势较为明朗可测，使人们更容易适应，从而采取有利于社会的行为。

行为规范是我们应该如何举止和期望他人应该如何举止。一个自由社会要正常地运行，必须广泛地推行有益的行为规范，如诚实正直、尊重他人及其财产、乐于奉献、担当责任、做事主动等。行为规范与共同的价值观和理念相结合——人们对此极为关注——就构成了一个群体的文化。

让任何一个群体良好地运作，无论在一个社会或组织中，必须大量用公正的行为规则来指导人们，而不是用具体的命令去发号施令。**让做事的人自行处理细节问题，能够鼓励他去发现，还能提高他适应变化的能力。**

当有必要制定详细条例 (Detailed Rules) 或指示时，必须对它们用已经经过试验性探索过程的基本规则去检验，让它们最有利于社会或组织的繁荣发展。过于详尽和强制细节会鼓励无所作为，从而破坏繁荣。它还会助长贪污腐败、滥用职权、奉承拍马和无所作为的不良风气。法国作家弗雷德里克·巴斯夏 (Frederic Bastiat，19世纪法国古典自由主义理论家、政治经济学家以及法国立法会的议员。——译者注) 曾说过："……让人们遵守法律的最好办法是制订出值得尊重的法律条文。"

MBM 各项指导原则清晰地阐明了我们的公正的行为规则以及我们共享的价值观和理念。推行基本原则使得员工可以挑战细节，做到"形散而神不散"。反之如果实行过于详细的规定，反而基本原则会崩塌。

我们每一个人都必须内化这些核心价值观，并在行为举止中表现出来。我们称之为有原则的企业家精神，它能使我们的价值创造最大化。

有原则的企业家精神 (Principled Entrepreneurship™)

有原则的企业家精神就是通过为社会创造真实的价值来使得公司业务的长期盈利最大化，并且总是遵守法规和诚实正直。

有品德的文化

每个组织都有自己的企业文化，这种文化可能是组织内部营造的，也可能是由其他力量偶然促成的。无论是哪种情况，组织的文化取决于所有成员的行为，并且同企业领导层及政府制订的法律法规密切相关。MBM 模式需要的文化具有特殊的性质，这种性质可以积极地培养。我们是通过设立各种标准，来评估企业的各项政策和实践活动，评估处事行为，制定行为规范，并建立指导个人行动的共同价值观。

MBM 指导原则 (MBM Guiding Principles)

1. 诚实正直 (Integrity)：遵纪守法及诚实正直地处理所有的事务。

2. 遵守法规 (Compliance)：努力达致 10 000% 地遵守法规，即 100% 的员工在 100% 的时间都完全遵守法规。确保在环境保护、安全及其他各方面的法规要求，都达到最高标准。停顿、思考、提问。

3. 创造价值 (Value Creation)：创造出真实、长期和有经济意义的价值。努力理解、发展并运用以市场为基础的管理模式 (MBM®) 来获得最佳成果。杜绝浪费。

4. 有原则的企业家精神 (Principled Entrepreneurship™)：体现出紧迫感、纪律性、责任心、判断力、主动性、以经济学和严谨的思维能力，以及承担适当风险的心态，为公司做出最大贡献。

5. 关注客户 (Customer Focus)：充分理解客户并努力发展紧密的客户关系，从而在相互受益的情况下预见并满足客户需要。

6. 善用知识 (Knowledge)：努力探索和运用最佳知识，主动地分享知识，鼓励有建设性的分歧和挑战。在任何可行的情况下都要测量和计算收益率。

7. 勇于改变 (Change)：接受及欢迎变革，高瞻远瞩，挑战现状，具有以改进为目的的创新和破坏精神。

8. 谦虚为怀 (Humility)：力行谦虚，对知识诚实。不断地探索和理解事实，有建设性地面对现实，从而创造真实价值，实现个人的发展和进步。

9. 彼此尊重 (Respect)：以自重、尊重、诚实和体谅的态度对待他人。欣赏多元化所带来的价值。鼓励团队精神，实践团队合作。

10. 实现自我 (Fulfillment)：以创造有价值的成果来发掘自己的最大潜力，并从中享受工作带来的成就感。

要培养一种在日常工作中自觉地应用这些原则去取得成绩的

能力，需要不断地实践和反思。

许多公司也制定了类似的原则，但是很少有公司会真正采取措施有计划地予以实施，保证每位员工都理解这些原则并忠实地依照这些原则去思考问题、采取行动。采取这些措施非常必要，因为只有这样，制定出来的原则才能真正地影响企业文化，否则，它们只会是空洞的口号。

首先，要确保政策和实践的内容能够营造出一个创造价值、积极主动和各司其职的文化氛围，而不是官僚主义、"应得"的观念和不负责任。在科氏工业集团，我们也会尽力聘用和挽留那些遵守公司指导原则的人员，我们会详细说明这些指导原则和他们的角色，明确且一贯地表明，我们期望这些指导原则能够指导员工的行为。而且，我们根据员工执行指导原则的好坏程度对他们进行提拔和奖励。我们还定期做出反馈，并会处罚直至最终开除不按指导原则行事的员工。

我们会从那些有能力执行这些步骤并且是公司文化正面榜样的员工中选拔领导。领导通过领导他人的方式和作为来设定标准，他们是公司文化的守卫者，并肩负着有关责任。为了取得实效，领导必须内化这些原则，始终如一地应用它们以产生良好的效果。

若想切实有效地应用 MBM 模式，必须关注应用后产生的结果。我们面临的挑战是跨越原则解说的阶段，在这个阶段，员工们仅仅理解这些原则的文字和概念，但还不能够应用它们达到盈利的结果。提拔那些光说不做的人只会降低创造价值的能力，破坏文化氛围。以此类推，一个棋手只有在能够应用概念和基本原则来克敌制胜时才算真正的高手。管理人员的一个重要能力是能够慧眼识人，发现那些能够应用正确的原则创造经济效益的员工。

营造有益的文化氛围需要相关人员的指导和学习

榜样。除了身体力行这些原则之外，优秀的领导还应定期和所有员工回顾这些原则。有效率的领导会鼓励大家进行交流，他们寻求变化，经常如实地对问题作出回应，找到改进的机会。他们不仅自己依据原则行事，还要求员工、同事和其他管理人员也依据原则行事。各级领导还应为那些真正弘扬企业文化的员工提供各种机会，因为这样的员工会专心解决重要的业务问题，能够推动有意义的变革，他们富有创意且业绩出众，并且通过有原则的企业家精神开拓了自己。

创造真实价值的能力依赖于有原则的、富有企业家精神的文化氛围，因为在这个氛围里，各个成员热衷于寻找新的发现。虽然聘用和挽留员工会考虑他们的价值观和理念是否与公司一致，但他们还必须具备创造价值的必要才能。有德无才者不能创造出价值，但无德之才不可靠，可能会使公司和其他员工陷入危险的境地。品德不佳的员工比才能欠缺的员工让公司损失更大。几年以前，我们一个厂的主管认为新的政府要求没有益处，他虽然经过了培训，但还是认为没有必要服从。最终，我们主动通报了他的违纪行为，而且中止了与他的聘用合同。德（即遵循我们共同的价值观和理念）和才（即担任特定角色所必备的杰出技能和知识）必须同时兼备。

才　能

掌握特殊技能和知识的潜能取决于我们的个人智能。智能的种类有很多，但一个人不可能同时具备或缺少所有智能。因此，根据人的才能，把他们组建成不同的工作团队和组织，使整个公司获得恰当的综合素质，是十分重要的。

对于创造出最多价值或有潜力创造出最多价值的人员，我们应尽力选用、奖励并向其提供各种机会。这就是我们为什么要欣赏多元化所带来的价值。在真正自由的社会里，奖励成员应根据其所做贡献，而不是根据其所属的团体。同理，应用 MBM 模式的组织也应以成员的品德和贡献给予奖励。凭想法独特、经验丰富、知识渊博、能力出众而创造出最多价值的员工是我们所需的。公司拥有多种人才有利于更好地了解顾客并与之建立联系，也有利于在这个多元化的世界进行各种交流。

多元智能理论 (Multiple Intelligences)

霍华德·加德纳 (Howard Gardner) 提出的多元智能理论认为，我们每个人都具备几种独立形式的智能。所有形式的智能水平都表现得很高或很低的人极少。每一种智能都赋予人们学习知识、解决问题和为他人创造有价值的产品或服务的能力。

加德纳发现人至少有 8 种智能，其中每一种智能还有几个细分的类别或不同的形式。这 8 种智能在社会中都很重要，只是其中的 2 种——音乐智能和动觉智能 (musical and bodily-kinesthetic)——与科氏工业集团没有太大关系。简而言之，其他 6 种智能为：

人际关系智能 (Interpersonal)

指理解他人，认识他们的品德和才能，知道如何鼓励他们并与他们合作共事的能力。人际关系智能包括关注、觉察及分辨人们的差异并使他们相互合作的能力。领导者、销售人员和教师是需要高度人际关系智能的人。

自我认知智能 (Intrapersonal)

这是人际关系智能转向自我内心世界的一种能力，是长期正确、现实的自我评价能力，可以有效解决工作生活中遇到的各种问题。这种对自身智力、动机和感觉的敏锐洞察能力对于领导者来说具有决定性的意义。这方面能力欠缺的人会给自己和他人造成无法估量的巨大伤害，对那些完全脱离自身实际的人而言更是如此。

语言智能 (Linguistic)

衡量这种智能的标准是对词句的意义、顺序、发音、节律和多种形式变化的敏感度。它包括说服他人采取行动，以及与他人有效沟通，交换有价值的信息的能力。人们通过使用语言来学习、传播知识，从他人的言辞或作品中领会感悟不同的意议或挖掘出更深刻的含义，还可以通过熟练的询问或讨论获取有用的信息。这些能力能够提高说话、写作、学习或提出质疑的水平，所以对于学生、教师、领导者、演讲者、作家、销售人员和律师等人来说非常重要。

逻辑与数学智能 (Logical-Mathematical)

这种非语言的能力可以构建逻辑、数学和科学问题的解决模式，有了这种能力，人们就能够运用测量、逻辑推理和运算模型解决问题，还能发现规律。

它包括在不同条件下确定已经发生和可能发生的情况的能力、简便运算能力和风险分析能力。它还包括演绎推理能力、归纳概括能力及辨别各种关系和联系的能力。人们在阐明、分析研究、革新、计算或质疑时，需要很强的逻辑与数学能力。

空间智能 (Spatial)

这种智能有助于在大脑中形成一个三维立体的模型，并运用这个模型帮助思维。它包括准确透视立体世界的能力、空间想象力及根据感觉进行改变和修正的能力。直接与空间世界打交道的人的身上可以体现出这种智能，如设计师和工程师；在工作中运用空间工具的人们也可体现这种智能，如交易员和描述三维关系的化学家等。

自然观察智能 (Naturalist)

这种智能可以分辨出自然界中的植物、动物、云朵和岩石的形成等。它源自我们祖先赖以生存的图案辨认能力，包括运用感官感知物体、辨别各种物体并根据特定标准对物体进行分类的能力。在各种行业中，这种智能对于食物生产、房屋建筑、矿藏开采或者环境保护的从业人员来说非常重要。对那些需要区分产品、品牌和原料等的人员来说也非常必要。

智能被定义为人们在上述各个领域中具备的潜能。我们每个人在每一方面都或多或少地具有一些能力，但只不过对于纷繁多样的不同领域，我们的能力有高有低罢了。这就是一个群体中总会存在比较优势的原因之一。

就我们的目的而言，加德纳的模式不一定要非常准确，只要方向正确即可。重要的是应该认识到人与人之间有着根本的差别。

选聘人员时，首先要对选聘的角色和所需的才能有明确的认识。就象其他的每一件事，选聘流程应该经过质疑和修正。它的运作、发展和完善需要互动和不断发现，并根据比较优势的原则经由一个批准过程来完成。

考察某个应聘者是否能够胜任某个特定角色或考察员工业绩时，应考虑下面的矩阵：

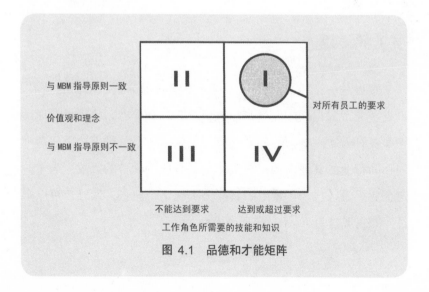

图 4.1 品德和才能矩阵

　　注意，价值观和理念轴线没有标注"高－低"或"好－坏"，然而它可以帮助评估一个人是否适合于某个组织。这个矩阵也可以为招聘者讨论和共享知识提供方便，从而更好地对应聘人进行评价。

　　我们要求所有员工以及应聘者的行为举止都与 MBM 指导原则中描述的价值观和理念保持一致。员工还必须具备学习必要技能和知识的潜力，去达到甚至超过我们对其职位的要求。图 4.1 中的第 I 象限没有标示为超级巨星，而是标示为要求。很明显，担当新角色的员工一开始都处在第 II 象限，但这应该是暂时状况。公司要求的是，不论什么原因不在第 I 象限的员工都能够迅速到达那里。

　　我们希望科氏工业集团能够长期兴旺，所以我们不能选聘或挽留核心价值观与 MBM 指导原则不一致的人员。如果对应聘人员存有疑虑的话，必须要先搞清楚。如果现有员工的价值观与我们的指导原则不一致的话，必须采取措施来解决。

员工的发展

　　发展是一个持续的完善过程，不仅表现为组织层面的发展，也表现为个人层面的发展。在组织层面，领导者必须积极全面地管理各种人才。卓越的领导能够认识到需要在关键岗位上任命那些和同行业的其他人相比在工作上具有比较优势的人才。为了制定企业愿景，也为了使组织有能力实现这个愿景，领导者可以把员工的表现分为 A、B、C 三个级别。

ABC 流程 (ABC Process)

　　A级： 这些员工担任目前角色的表现和贡献非常突出，他们的竞争优势超出主要竞争对手中担当同类角色的员工，因而为公司长期盈利做出了杰出贡献。这些员工通常占到目前担任同类角色的行业员工总数的前15%，公司应确保不让他们流失掉。科氏工业集团长期在市场上招聘A级的员工，而且不断提高人才识别能力，聘用那些具有竞争优势的人员。

　　B级： 这些员工的表现和贡献，至少与主要竞争对手中担当同类角色的员工表现相当，他们所占的比例居于这个角色的人员中的前15%~50%之间。B级员工是可靠的贡献者，总能达到公司的要求值，在许多方面他们的表现也许还超过了要求。B级员工做为一个整体，对公司的成功很关键。公司不应该在失去他们后才感到追悔莫及，他们也不应该生活在A级员工的阴影里。然而他们应该受到挑战，不断发展和改进。

　　C级： 这些员工在目前所担任的角色上的表现和贡献使我们处于竞争的劣势，因为他们的表现低于主要竞争对手中担当同类角色的员工的平均水平。C等级员工没有达到公司要求值，也许他们担任的角色不适当，也就是说，如果把他们调配到可让他们发挥其具有比较优势的角色上，他们也许能做出B级甚至A级员工的贡献。但是，如果给他们安排了合适的角色或给予培训之后，他们的表现还是达不到B级,那么公司就不应挽留他们了。

一位员工在一家公司不能创造出价值并不意味着在别的公司也不能创造出价值。若另一组织的要求或文化氛围更适合那些员工的才能和价值观,他们的表现也许会比呆在我们公司出色得多。

ABC 流程的目的是确定并提高能力水平,给所有员工安排最合适的角色,让他们为公司利润的增长做贡献。其最终目的是提高现有员工的表现水平,重新安排或解聘表现不佳的员工,同时吸收杰出的外部人才。由于工作表现不可能总是得到精确的评估和比较,所以大多数评估是定性的,依据的是主观判断。所以,ABC 流程不能作为僵化的公式加以应用,相反,它只是一个工具,帮助领导者吸纳、培养并挽留那些能够加速实现企业愿景的人才。而且,员工的表现会随着时间的推移而发生变化,一些员工的工作表现会有极大的改善,而另一些员工由于无法适应环境的变化或由于其他原因,工作表现可能会比以前更加逊色。**公司要为社会创造价值,其员工就必须为公司创造价值。**不能创造出价值的员工削弱了公司创造价值的能力。所以,根据 MBM 模式定义,不创造价值的员工没有真正在工作。这种用人哲学和 ABC 流程应适用于所有员工,无论是按月付薪或按小时付薪的员工,还是临时工,用一种能提高公司业绩水平的方式加以实施。

ABC 流程中,重点首先要放在 C 级和 A 级员工身上。要采取强化措施对 C 级员工加以培训、辅导,或调配角色,提高他们的业绩。公司应中止聘用那些对各种帮助措施不能迅速做出反应的、业绩始终维持在 C 级的员工。否则,他们的工作表现会传染给其他员工甚至会使整个组织陷于危险的境地。管理人员制定了针对 C 级员工的策略之后，就可以腾出大部分时间用在 A 级和 B 级员工身上——发挥 A 级员工的优势并让他们接受挑战，给予 B 级员工各种机会，使他们尽早成为 A 级员工。A 级员工是使公司产生竞争优势的主要因素，需要持续地给 A 级员工提供新的机会是公司必须一直发展壮大的原因之一。

除了长期培养现有员工外，公司还必须寻找并聘用外部的 A 级人才。这样，当从公司内部找不到合适的人才时，外来的优秀人才就可以为公司打造新的竞争优势，抓住更多的发展机会，使公司得以继续发展壮大。为了实现长期利润最大化，每位员工必须奉行正确的原则，具备应有的技能，去从事最合适的工作。

为公司选聘人才很重要，而选择合适的合作伙伴同样重要。无论是股东还是合资或合作者，如果与合作伙伴之间总是矛盾重重，那就如同错聘了员工，会给公司造成重大损失。如果合作伙伴是亲朋好友，掺杂的感情纠葛会使问题更为严峻。

60 多年间，我们一共有过几十个不同的合作伙伴。**经验告诉我们，合作伙伴要与我们有共同的愿景和价值观，这一点很重要。**一旦发现合作伙伴的企业愿景或价值观与我们发生分歧，我们就果断地解除合作关系。因为分歧越深，积怨越多，就越难以找到好的合作途径。

如果各个合作伙伴的愿景发生冲突，而且不可调解，公司的业务潜力将无法发挥出来，很可能导致亏损。如果一位合作伙伴把业务看作是现金牛 (Cash Cow)，而另一位伙伴的目标是创新和发展，那么解决的办法可以是卖掉此项业务，或者是由一个合作伙伴买断另一个合作伙伴的股份。

同理，如果各个合作伙伴在价值观上的矛盾不可调和，公司业务要想长期蓬勃发展下去将是难上加难。一旦合作伙伴反对我们的 MBM 指导原则时，我们之间的合作很少会成功。意识到这一点，我们就会非常谨慎，只选择与我们有相似价值观的人们作为合作伙伴。

合作关系变为敌对关系，而且没有关系解除机制是最糟糕的一种情况。这种伙伴关系往往退化为僵持局面，凡事都无法做出决定，导致公司的业务发生萎缩。我们曾有一个合资企业，当时的合作伙伴否决我们做出的任何提议。为了证明他的重要性，出席董事会时他也会迟到一个半小时。好在我们的协议中订有解约程序，于是我们解除了合作关系。现在，如果没有订立退出机制的话，我们不会与他人签约合作。

另一方面，拥有共享的愿景和价值观的合作伙伴关系（合作伙伴根据他们的比较优势来做贡献）可以是创造出色价值的强有力的方法。例如，来自威奇塔的企业家乔治·阿巴拉 (George Ablah) 曾是我们在 ABKO(美国著名化工公司，在黏合剂领域中享有很高的知名度。——译者注) 产品方面的合作伙伴。由于他眼光独到（对此我们非常赞同），而且与我们有共同的价值观，所以我们能够与他建立起成功的房地产合作关系，收购了克莱斯勒房地产公司。

对于科氏工业集团的发展前景，我和兄弟大卫的企业愿景总是保持一致：创新、发展、再投资，利用核心能力创造最大价值，实现长期价值最大化。大卫一贯处事客观，公平处事，把促进公司利益最大化当成首要的事情。

马歇尔家族也是如此，无论公司处在艰难困苦之中还是兴旺发达之时，J. 霍华德以及皮尔斯·马歇尔及遗孀伊莱恩 (Elaine) 一直是我们的坚定盟友。J. 霍华德是大北方石油公司的创始人之一，他把手中为数不多的股份（这些股份他本可以高价卖给他人）卖给我们，从而使我们掌控了大北方公司。当初他这样做，只是单凭我们做出的一个会公平对待他的承诺，可见他对我们有极大的信任。

　　尽管能够对我们表现出如此信任的人非常罕见，但长期的合作结果证明了信任的力量。信任能够促使人们完成缺乏信任时无法办到的事情，并让人们朝着一个共同的目标高效和谐地工作。诺贝尔经济学奖获得者肯尼斯·阿罗（Kenneth Arrow）把信任称为"社会体制中重要的润滑剂"，这一点在公司中一样重要。

　　当前苏联的铁钉厂被用重量来衡量它们的产出时，他们倾向于制造又大又粗的铁钉，即使很多这种大铁钉已经躺在货架上无人问津，而国家当时迫切需要小铁钉。

　　When Soviet nail factories had their output measured by weight, they tended to make big, heavy nails, even if many of these big nails sat unsold on the shelves while the country was crying out for small nail.

——托马斯·索厄尔 (Thomas Sowell)

托马斯·索厄尔　是美国当代杰出的经济学家、最具影响力的社会评论家。索厄尔先后就读于哈佛大学、芝加哥大学，并获芝加哥大学经济学博士学位。后在康奈尔大学、哥伦比亚大学以及斯坦福大学讲授经济学。现为斯坦福大学胡佛研究所公共政策高级研究员。

　　托马斯·索厄尔在经济学和广泛的人文社科领域均有重要建树。他撰写了 30 余部经济学及相关著作，多次被翻译成法文、德文、西班牙文和日文出版，其中《基础经济学》(Basic Economics)、《超越第一阶段思考》(Thinking Beyond Stage One) 是亚马逊网上书店的超级畅销书。他在美国《福布斯》、《财富》《FORTUNE》、《新闻周刊》(News Weekly)、《时代》周刊 (TIME)、《华尔街时报》(Wall Street Journal)、《华盛顿邮报》(Washington Post) 等主流媒体上发表了大量文章，并担任多家著名媒体的专栏作家。1990 年，托马斯·索厄尔荣获由美国企业研究所颁发的、备受尊敬的"鲍伊尔奖"；2002 年，他荣获"国家人文科学勋章"。

第 5 章

Knowledge Processes

知识流程

创新发现的最大障碍并不是无知，而是自以为是。

——丹尼尔·布尔斯廷 (Daniel Boorstin)
美国历史学家、博物学家和前国会图书馆馆长

知识的价值与它的目标的价值成正比。

——塞缪尔·泰勒·科尔里奇 (Samuel T. Coleridge)
英国作曲家，其最具代表性的作品是《海华沙之歌》
(The Song of Hiawatha) 三部曲

市场经济的成功很大程度上是因为它们善长创造有用的知识。知识产生的主要机制是从交易中产生的市场信号——价格、利润和亏损，以及言论自由。

当知识充裕、容易被获得、互有关联、便宜而且能够与时俱进时，社会就处在最繁荣昌盛的阶段。这种局面大多数是通过贸易来实现的。

贸　易

贸易的基础是双方互利。人们进行交易是因为他们期望交易能够改善他们的生活，尽管有时一方在交易之后可能会感到失望。贸易开展得透明，没有暴力介入，没有尔虞我诈之时，我们的生活往往更加殷实。产生这个结果的原因有：

◆ 商品总是从认为其价值较低的人们那里移动到认为其价值较高的人们那里；

◆ 专业化分工促进了商品的生产和消费，商品和服务的种类大大增加；

◆ 生产商们提高了产量，从而也提高了劳动生产率，并使
生产成本降低。

在整个历史进程中，贸易始终是社会繁荣和进步的重要决定
因素。伟大的文明社会很少是从孤立状态中产生出来的。一个国
家的地理位置和政治局势对贸易的影响往往能够决定这个国家的
文化和经济的发展程度。对来自世界各地的商品、知识、各种方
法和发明敞开大门并加以利用的国家往往发展得最快，发达程度
最高。像荷兰和英国这些国家之所以很早就成为贸易中心，只是
因为它们是开放的国家，有着优良的港口和港湾，使得船舶这种
早期的唯一的高效交通工具易于停泊和出入。世界上的其他地方，
如非洲、中美洲、南美洲国家及东欧的部分地区，或被大山环绕
与外界隔绝，或因其他地理或政治原因的障碍，没能与这些国家
同步发展起来。

公司的发展也是如此。任何公司，无论其员工的才干多么出
众，也无法单凭内部力量能够赶上世界范围的创新和变革步伐。
**所以，公司若想在技术、方法、市场和需求方面跟上
世界的竞争及变革步伐，必须要迅速建立各种机制，
了解世界各地的产业发展情况。**这些机制包括贸易，设立
评估基准，定期与专家会谈，组建技术创新网络以及与消息灵通
的商业服务机构发展关系等。

知识可以发出信号，引导资源被更高价值的利用，从而促进
社会的繁荣发展。生产者利用新知识不仅可以生产出给消费者带
来更大价值的产品，还能以较少的资源生产出这些产品。知识的
发现和应用可以使资源的使用、分配和消费得到改善。在组织内部，
知识的作用必不可少，能为顾客和公司创造出超额价值。知识流

程其实是一种方法，我们可以利用它发展、更新、共享并应用知识来创造价值。

　　未来世界变幻莫测，公司若要成功发展，就必须运用分散在员工身上的知识，还要鼓励员工发现创造价值的新方法。员工必须勇于创新，不仅要在自己所从事的技术方面进行创新，还要在公司的各个方面和层面都加以创新。基于市场的知识流程能将分散的知识融会贯通，并选择合适的时机和领域来应用这些知识，这样，公司就能够满足日新月异的消费需求，并从中获得经济效益。协调知识的机制与创造超额价值所必需的自发秩序密不可分。

衡　量

　　从衡量结果中也可以获得重要的知识。人们喜欢去衡量那些易于衡量的事物，恰恰相反，我们要衡量一切相关的事情，不管它有多困难。爱因斯坦曾告诫我们："并非所有重要的事情都能数得清，也并非所有数得清的事情都很重要。"对所有企业进行衡量的最根本尺度是价格、利润和亏损。企业根据这3点确定人们的需求以及满足这些需求的最佳方式。**在真正自由的经济体制下，利润和亏损是市场对企业所创造的社会价值的客观衡量。**

　　企业要想兴旺发达，必须建立并不断改进利润和亏损的衡量机制，找到根本的动因，这样就能搞清楚什么在增加价值，什么没有增加价值，以及为什么。这将有助于我们制定企业愿景和策略，引领各项革新，创造减少浪费的机会，指导持续的改进措施。知道为什么盈利经常和知道什么在盈利一样有价值。这就是一个企业为什么必须开发衡量机制从而帮助自己理解是什么在促使盈利。

成功的企业会对资产、产品、策略、客户、协议、员工的盈利能力（以及产生盈利能力的动因）和其他可行的因素进行衡量，并努力做到心中有数。科氏工业集团收购的一家企业曾一度亏损，部分原因在于当时企业几乎没有衡量盈利能力的各项措施，包括对厂房、产品、顾客和员工盈利能力的衡量。于是我们与那家企业共同制定了衡量方案，结果发现，某种产品中60%的产量卖给了几家大客户，结果只产生了20%的利润。而其余40%的产品卖给了众多规模较小的客户，却创造出了80%的利润。在确定这种情况会持续下去之后，原先把大部分时间和精力用在少数大客户身上的销售人员开始把精力投入到那些规模较小但创造出较多利润的中小客户那里。这个例子告诉我们，衡量机制非常重要，可以帮助我们了解应该把时间和资源集中投放在哪些领域。

还有一点也很重要，就是知晓产业内部的变化速度，以及企业的改进和创新步伐是否与竞争对手保持同步或快于对手。要对此做到胸有成竹，非常重要的是衡量产业的发展趋势，同时与竞争对手进行比较。比较的方面可以是市场份额的变化率、成本降低情况、利润率的上升与下降、新产品占销售收入的百分比等。

衡量应尽可能做到定量，但也要考虑定性和无形的成分。虽然对某些事情而言衡量价值和成本有困难，但尝试去做经常会获取重要的知识。采取任何行动时都可以问一问"价值和成本的主要动因是什么？"以及"我们如何能够增加利润？"，形成这种习惯对于培养创造性的洞察力至关重要。

在改造我们位于蒙大拿州牧牛公司的海狸头农场时，其中一项重要措施就是确定并衡量盈利能力的主要动因，然后采取行动改进这些动因。除了成本之外，其他动因还有家畜繁殖能力、牛犊成活率、断奶时牛犊体重和环境保护工作，以及能否吸引到合适的人才。经过集中整治，农场的成本降低了25%，家畜的繁殖能力提高了8%，牛犊的成活率从原来的90%提高到95%，断奶时牛犊体重增长了20%，农场还获得了7个重大环保奖项，并因再度增加了野生动物总头数而成为全国首家得到野生动物栖息地保护委员会认证的农场。

在制定衡量标准时，对正确性的强调程度通常应该高于精确度。获得的信息详细到超出做正确决定所需的信息量时，通常就会造成浪费。由于对结果的预测不大可能做到非常精确，所以打算把预测结果精确化的做法也会造成浪费。更糟糕的是，这样做可能会产生一种错误的自信感。我们更关注地是评估真正的盈利能力动因。例如，衡量能源消耗时，要与理想的状况比较，而不应与有预算控制的消耗量比较。

人们很容易因一味强调降低成本而落入陷阱。成本只是价值创造过程中的一个因素（尽管是非常重要的因素）。如果你的目标只是减轻体重，你可以锯掉一条腿来达到这个目的，但那样做没什么好处。为了降低成本而降低成本的做法是目光短浅的做法，可能严重损害将来的盈利能力。恰当的做法是集中力量杜绝浪费，也就是从机会成本的角度减少不创造利润的活动。

科氏下属的各个公司正日益向全球化迈进，这为公司杜绝浪费提供了更多的机会。我们的 John Zink 子公司是一家重要的燃烧设备制造公司，意识到不能单纯依赖强势品牌产品来维持盈利能力，所以公司一方面不断努力降低成本，另一方面努力提高产品的性能。如今 John Zink 公司出品的一些最为复杂、劳动力密集的部件都在中国制造，由中国一家专业生产装饰性门把手的精密铸造公司生产。John Zink 公司放弃了传统的供应商，所以能够在成本降低近50%的同时大大地提高了产品质量，并缩短了交货时间。

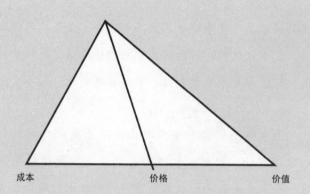

图 5.1　成本、价格和价值的三角关系 (CPV Triangle)

卖方的利润就是所提供产品的价格与成本之间的差额，而买方的利润则是同一产品对于买方认为的价值与价格之间的差额。价格不仅在卖方和买方之间划分总价值，而且决定交易是否会发生。低于生产商成本的价格通常意味着该生产商不会再生产这种产品。如果价格高于潜在买主的所认为的价值，那么交易将不会发生，也将不会为买卖双方创造价值。

迈克尔·波特 (Michael Porter) 是《竞争战略》(Competitive Strategy) 一书的作者，他说，企业或者通过低成本生产来获得竞争优势，或通过产品差异化取得溢价来获得竞争优势。成本、价格和价值三角 (CPV 三角) 可以帮助我们了解如何应用这两种方法。

具有成本优势的厂商致力于长期杜绝浪费，方法是检测每个生产活动、流程、人员、资源、产品和资产的盈利能力，并设立衡量基准。

产品差异化的基础是了解顾客的当前需求，预测他们的未来需求。根据这种想法，厂商必须不断推陈出新，提供价值高于竞争对手的产品和服务。企业在为顾客创造出更多价值的同时取得其中的部分价值，这样才能给买卖双方都带来实际利益。需要注意的是，顾客是根据主观价值来评估产品价值的。

竞争对手的各种举措对走产品差异化之路的厂商的束缚较小。此时，价格不再仅仅是最普通的衡量标准，而是主要取决于顾客愿意为产商提供的额外价值支付多少溢价。通常，商家应该努力成为价格搜求者(Price Seeker)，而不是价格接受者(Price Taker)，这就要找到难以被别人模仿的创造价值的新方法。勇于创新的厂商能最早获得大部分超额价值，这符合产商和顾客的利益，还能鼓励产商继续创新，因为创新和破坏过程的客观存在会使厂商获得的超额价值日益减少。

评估浪费或成功杜绝浪费的方法至少有三种。最直接、最明显的方法是看一项具体变化是否能够提高盈利能力。例如，如果削减成本之后，在其他因素不变的情况下，盈利能力下降了，那我们就知道减少的东西不是浪费。制定具有经济效益并能降低成本的计划需要进行边际分析、经济性思考、关键性分析和合理的判断。这不仅要确定是否值得开展某项活动，还要确定做到何种程度以及是否还有其他更能盈利的选择。

边际分析

边际分析就是分析变动的成本和变动的收益。我们称之为边际，不是因为它不重要，而是因为它是增量，发生在边际。边际分析考察的是与特定变化而非平均或整体变化相关联的收益和成本的关系。它要问的问题是增加一个单位的产量或增加一个工厂后的盈利能力会怎样？或者增加与减少投入后盈利能力又如何？

在做边际分析之前，我们必须让目前的状况得到优化。例如，在评估为提高效率而增加的投入对于盈利能力的影响之前，首先应该对目前的浪费现象予以彻底清除。在考虑扩大生产时，认为我们这里人员已经富余，没有必要增加人员费用的论断是错误的。从经济性的分析来看，应该设想多余人员离开岗位，同时根据扩大生产的需要加入进来。

大多数决策都应经过边际分析后再做出，这需要了解边际成本和边际收益与非边际成本和非边际收益之间的区别，如沉没成本就不是边际成本。只有在适当的边际上做决定，企业才能不断增强盈利能力，杜绝浪费。

评估基准

衡量并杜绝浪费的另一个办法是设立评估基准。设立评估基准的过程就是一个发现、掌握并应用世界各地卓有成效的方法帮助我们改善和提高的过程。可以从以下几个方面着手。我们可以向公司（内部）中做得最好的部门学习，向全行业（竞争对手）中的标杆公司学习，还可以借鉴学习世界上（整个世界范围）在这方面做得最好的业务领域。分析公司中业绩最佳的职能部门，如维修、销售、运营、信息、财务等为什么做得好，是学习如何取得最佳效果的强有力的方式。

切实有效的评估基准要具有客观性，就必须做到谦虚、对知识诚实。这种客观性有时会使人感到痛苦，但它能让我们认识到工作表现与最佳做法之间的差距，了解弥合差距获得收益的必要措施，所以非常重要。

美国西南航空公司在努力缩短飞机加油时间、乘客上下飞机时间和装卸行李时间时，并没有研究其他航空公司的做法，而是研究纳斯卡 (NASCAR，美国全国汽车比赛协会) 赛事中工作人员高效熟练地换轮胎、加油和赛车手有条不紊的做法。如今，其他航空公司把西南航空公司作为参考基准来评估业绩。无论在公司内部、外部还是在行业的内部、外部，只要有最佳做法的地方，我们都要努力搜寻。

机会成本

衡量盈利能力，设立评估基准，这两者虽然作用显著，但仅仅是这样做还不够，因为我们的时间和资源有限，用来做某件事自然就不能做另一件事。罗伯特·弗罗斯特 (Robert Frost) 在他的著名诗篇《未选之路》(*The Road Not Taken*) 中曾指出过这一点。弗罗斯特走到一条道路的岔路口，他意识到在这两条道路之间进行选择时，他的选择的代价就是那条未选的道路。

任何行动的真正代价就是放弃的最大价值的另一行动——即机会成本（简单地讲，可以把其理解为把一定资源投入某一用途后所放弃的在其他用途中所能获得的最大利益。——译者注）。做一项有收益的行动时，如果还可以做另一项收益更大的行动，那么做第一项行动就是一种浪费。乍一看这似乎违反常理，但是，公司如果放弃某些有收益且有价值的活动，从而得到更高价值的机会时，那么的确可以增加利润。所以有必要坚持不懈地研究所有机会和选择，学会辨别这种"浪费"。根据盈利能力来制定发展的优先级，并随着风险和时间的变化进行调整，就可以杜绝浪费。传奇式篮球教练约翰·伍顿 (John Wooden，美国著名篮球教练。27 年来，他率领美国洛杉矶加州大学篮球队取得了辉煌胜利，创下了无数纪录，他的全心奉献和激励作用使他成为美国最成功的教练。——译者注) 总结根据机会成本做决策时告诫道："不要依照你已经取得的成绩衡量自己，而应该按照你的能力本该取得的成绩来衡量自己。"

　　每一种资源 (不仅包括资产和原材料，还包括人才) 都有不同的用途，所以时刻要为每种资源寻求价值最高的用途。一段时间以前，位于爱荷华州康瑟尔布拉夫斯的科氏材料公司 (Koch Materials Company，KMC) 的沥青厂的一名销售代表，读到一篇关于一家公司正在寻找土地建设一座新型游乐场所的文章。尽管当时沥青厂的效益一直很好，但他还是想，"与我们生产沥青相比，这些人在我们这块土地上能创造出更多价值吗？"经过分析，KMC 得出结论，资产的持有价值 (Hold Value，预期未来现金流的现值) 远远低于这块土地作为游乐场所的价值。于是沥青厂迁走了，如今在康瑟尔布拉夫斯沥青厂原址上矗立着美星娱乐酒店。

利润中心

　　当把一项业务构建成利润中心后就可以对其在什么领域及如何创造价值做出最佳决定。只要有可确认的产品、市场价格、客户、供应商和资产的地方都能够建立利润中心，并编制财务报表，而且这些财务报表必须反映出实际经济状况。切记，衡量利润和亏损时，一定要分析导致利润和亏损的原因。

在企业基层识别和有效地建立利润中心，能使企业拥有真实的竞争优势。理想的情况是每个工厂都应该是利润中心。如果该厂不只生产一种产品，就应该跟踪调查每种产品的盈利能力。企业的产品或服务卖给外部客户时，产品或服务的价格反映了真实的经济状况。产品在企业内部进行转移时，其价格也应该反映出其在市场销售时的真实情况。严格来讲，内部价格应该是产品总量的加权平均市场价格，而不是部分产量的加权平均市场价格。

采用基于成本的机制转移产品会发出误导性的利润信号，最终导致做出错误的决定。有时，限定我们每个业务单元只能进行内部采购也会造成浪费和不经济。这些扭曲利润的做法当被用于扶持濒临破产的业务或工厂时，是特别有害处的。如果某个部门不能创造出经济效益，考虑到它会对公司的其他部门造成负面影响，就必须卖掉或者关闭，而不应扶持它。

建立内部市场的目的是提供内部的信号，这样公司就可以根据这些信息做出决策。这个机制可以确保各项决策是根据类似于外部采购时公司的盈利能力做出的。规范有序的内部市场能够产生知识，引导决策，加强主人翁精神和责任感，鼓励企业家精神，还有助于杜绝浪费。

利润中心不仅可以由生产、销售和运输等运营部门组成，还可以由诸如会计和信用服务等支持部门组成。但如果没有监管的话，这些支持部门往往倾向于最大化他们的服务，而不是最大化他们对盈利能力的贡献。为了尽可能地杜绝此类问题，应该把这些服务放在相关业务的控制之下，或者使用内部市场及其他的机制和衡量方法。

衡量一个利润中心的整体经济表现是一项直接了当的任务。更困难的是衡量企业内部职能部门、流程，支持服务或那些要在几年后才显现可能的回报的各个项目工程。尽管困难很大，但还是有必要利用评估基准或其他方法对盈利能力进行评估。向外采购的盈利能力情况应该和经过质量调整，并由自己生产所产生的成本或者是由另一个部门或附属公司来生产的情况进行衡量对比。每位员工的盈利能力也应该被评估。办法是不断地留意、记载和尽可能把员工一整年的贡献（正面及负面）定量化，并做出年度的360°业绩评估。这种评估来自从一年里与该员工工作关系最密切的人员——主管、同事和下属那里得到的有关该员工的表现反馈。

言论自由

当然，知识不仅是数字和衡量。在自由社会中，口头交谈也可以创造和共享知识。尊重自由、重视繁荣的国家保护公民的自由言论权，可以极大地推动知识的发现和传播。在科学领域中，只有研究人员分享、公布、讨论并质疑各种观点和发现，知识才能随之被创造出来。波拉尼把这一过程描述为科学的共和国。

科学的共和国 (Republic of Science)

如果科学家们只依赖自己的知识和想法各自孤立地做研究，设想一下会是什么情况。因无法得知其他科学家的想法和发现，研究的进展会很慢，其间失策和浪费频频出现。如果科学家们充分得悉他人的研究工作，可以自由选择研究课题，那么他们就能够获知信息，并调整自己的研究工作。波拉尼把这种"通过相互调整各自独立的创新行为而达到的协调发展"描述为"科学的共和国"。

由于自主创新行为可以通过自我协调来加以调整，所以共同结果的取得"并非哪个发现者事先计划好的"。这些主动的创新行为一旦统一被计划的话，必然会削弱其有效性。科学界之所以能不断创新，因为它"有一套原则体系，同时又'鼓励'人们反抗这个体系"。它加强基本科学原理的教育，恰恰达到了培养推翻理论的目标。

波拉尼认为，亚当·斯密和弗里德利希·冯·哈耶克提出的相互自我调适的市场机制模式，只是他所说的更具普遍意义的科学共和国的一个特例而已。市场经济体系同样具有纪律和自由相结合的体制，一方面，它要求只有创造真实价值才能获取利润的规则，另一方面在如何创造价值上给予其自由。

企业家无法摆脱市场机制的约束，同样，科学家也必须受到科学世界的标准和规范的制约。人们主动创新，让新发明和新发现经历了求证和批评的考验，如此知识水平才不断得到提高。这个求证和批评过程可以确保任何可能加入科学知识体系的知识在得到广泛接受和应用之前，是被证实有效的。

"科学的共和国是探索者的社会"，要努力"探索未知的未来"。社会中活跃的力量相互作用，"约束并鼓励着社会的发展"。这个社会正是"全面致力于"不断自我更新，"培养追随者的独创精神"，从而存在和发展下去。

追求、共享、探讨或质疑各种观点和计划，在组织内部可以发挥非常重要的作用。没有人能够掌握全部知识，永远做出最佳决定或者总是有所发现。知识零星分散、纷繁多样，所以，在做出重要决定之前，我们需要用各种方式来确保相关种类的知识被考虑。当我们推行尊重和信任的企业文化时，员工们就能够分享观点，寻找预测和解决问题的最佳知识。口头交流能碰撞出新发现，从而能找到创造价值的更好方法。当这种交流受到专制的禁令、程序或等级制度的束缚时，知识共享就会遇到障碍。

科氏工业集团奉行的真理就是在和 MBM 指导原则的第一条指导原则一致的情况下获得结果，同时经受住求证和批评的考验，而并非某个特权人物宣称的真理。不断质疑、集思广益、寻找更好的方式方法就是我们所称的挑战流程 (Challenge Process)。

挑战流程的质量好坏取决于人们是否愿意参与公开、诚实和客观的辩论，是否愿意挑战现状，以及是否能谦虚地对待那些对我们自己的理念、建议和行动的质疑。这个过程既适用于挑战者，也适用于被挑战者。挑战者需要有对知识诚实，及建设性地改进的精神，而不是因为它也"不在我处产生"就反对某件事。

理查德·惠特利 (Richard Whately) 论真理

理查德·惠特利是哲学家、经济学家和英国圣公会主教，他说："希望真理站在我们这一边和真诚地希望我们站在真理那一边是完全不同的两回事。"

培养创造价值的沟通需要建设性的争论。如果组织没有营造鼓励建设性挑战的文化氛围，员工的工作孤立闭塞，那么它必将在竞争中不战而败。如果人们在交流时只报喜不报忧，或者口是心非假装赞同，那么产生的新知识和新发现就会少之又少。若邀请到观点不同、知识和专业各异的人员参与，那么这个挑战流程就是最有成效的。

挑战流程中卓有成效的一种形式是召开头脑风暴会议。与会人员应该来自能够给讨论贡献极大价值的各个职能机构和业务部门——业务管理、销售、运营、供应、技术、业务拓展和公共关系部门等。也可邀请知识渊博、见解独特的外部人员参加会议。

挑战流程的另一种形式是合规审计，有些人对此抱有抵触情绪，因为他们感到心惊胆战，或者担心自己不被信任。相反应该把审计看成是学习和提高的机会。你是愿意以这种方式还是以宁愿品尝失败的方式来找出自己存在的问题？

为了在内部推动创新和破坏的过程，没有什么事情可以免于被挑战。每一个人都要为营造欢迎挑战、拥抱变革的开放氛围尽一份力。如果你发现很少有人挑战你的观点，或者你很少对他人的看法提出质疑，那就可能出问题了。问题的原因也许是缺乏企业家精神、文化氛围或者激励机制。但无论问题何在，都必须加以解决，以免危及公司的生存和发展。你必须主动探求知识和不同的观点，还要主动把自己的知识和见解与可能受益的员工进行分享。当所有参与挑战流程的人员都奉行我们的 MBM 指导原则并集中精力创造价值时，就为找到新发现提供了强有力的工具。

做决定时要有实据证明，要经过逻辑分析以及经济性和关键性思考，不能感情用事或一时冲动。我们应该对我们正在应用的各种思维模式很清楚，并能清晰地开展沟通，避免不必要的复杂，应像爱因斯坦建议的那样，"……尽可能的简单，但不失去含义。"不能产生盈利结果的、表述精美的、复杂的思维模式、论据和想法没有任何价值。形式永远不应凌驾于实质之上。

市场经济对于在人们认为什么有价值以及如何最好地满足这些价值方面进行的沟通异常有效。**在公司里，基于市场的知识流程能够利用强有力的市场自身的力量形成有用的知识。**

总是会存在能为公司及其顾客创造出更多价值的更好、更快、更廉价的方式。创造价值需要有高超的经济性思考技能，在任何可行的情况下都要测量和计算收益率，探索和分享知识，接受及欢迎挑战流程，正确使用已被证明的工具和思维模式。这些都是出色的知识流程的关键要素。

　　市场决定了谁将"拥有何种财产以及谁该做何种工作"。这些决定不是一成不变的，而是每天都有可能发生变化。这个选择的过程永无止境。

　　The market determines who shall [have what property and who shall do what work]. None of these decisions is made once and for all; they are revocable every day. The selective process never stops.

——路德维希·冯·米塞斯

路德维希·冯·米塞斯 20世纪欧洲著名的经济学家，被尊为"现代奥地利学派的创始人"。他是著名经济学家哈耶克忠诚的朋友和支持者，同时也是为美国保守主义者提供思想养料的极具影响的学者，后来移居美国。当他还在欧洲的时候，像哈贝勒 (Gottfried Haberler)、马赫卢普 (Fritz Machlup) 和哈耶克这样知名的学者也曾与他一道从事研究或深受其影响。第一次世界大战爆发后，这三位追随者和其他学者都移居到国外，其中一些人来到了美国。美国政治学家纳什 (Nash) 指出，"30年代来自中欧的知识分子'迁移大浪潮'是我们这个时代知识分子史上的的一个重大事件。"

米塞斯的思想同哈耶克的思想一样，在美国引起了广泛的回响。他刚到美国时出的两本书《权力无限的政府》(Ommipotent Government) 和《官僚政治》(Bureaucracy)，都含有同一主题：反对一切形式的政府干预。这两本书使得美国的"古典自由主义者"大大受惠于这位欧洲流亡者。1945年，米塞斯被他的美国朋友推荐为纽约大学企业管理研究院的聘任经济学教授（达20多年之久）。他对美国古典自由主义早期复兴的最大贡献是1949年由耶鲁大学出版的他的巨册名著《人类行为》(Humun Action)。该书是他的"人类行为学"思想体系综述。一些书评家把该书称为"资本主义的宣言"、"对自由放任主义不加掩饰的、毫无保留的辩护"。

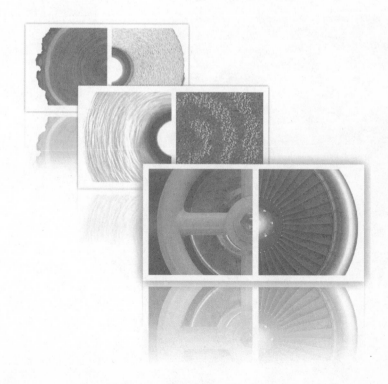

在市场经济中，每一位资源拥有者不得不通过不断提供服务，来证明自己要求控制资源的权利是合理的、否则，消费者就会以和平的方式把资源的拥有权和控制权转移到能力更强、效率更高、提供更多服务的人们手中。

——保罗·波伊洛特 (Paul L.Poirot)
康奈尔大学 (Cornell University) 三大著名经济学家之一

市场通过外部强制的、禁止只索取不回报的产权法来促使经济效益最大化。

——弗农·史密斯
实验经济学之父、2002 年诺贝尔经济学奖获奖者

私有财产是市场经济和社会繁荣的基本要素。市场经济中不能没有私有财产，没有私有财产的社会不会繁荣昌盛。为了确保创新活动长期顺利进行，满足人们的需求，必须建立一个健康、日臻完善的体制，来保护私有财产权不受侵犯。

如果没有一个基于私有财产的市场体系，人们就不知该如何去有效地分配资源，因为他们缺乏来自市场价格的信息，而市场价格取决于私有产权拥有者之间的自愿交易。价格以及由此产生的利润和亏损会引导企业家们努力去满足消费者的各种需求。通过这个体系，消费者就可以引导企业家利用知识和激励机制有效地分配资源，这是中央集权所无法做到的。

产　权

那些能清晰地界定个人的私有财产权并给予保护的国家能够刺激投资和发展，而那些威胁并没收私有财产的国家会因失去活跃的交易资本而日渐衰退，同时这些国家也会失去许多有才能、肯努力的人才，而他们是对经济发展做出最大贡献的人。

当产权不明晰或界定不确切时，各种问题也会因而产生。在这种情况下，私有财产所有者不能从他所创造的价值中获益，也不必为被他破坏的价值承担全部代价，这样，他们对财产使用的关注点就不会最大程度地聚焦于在社会中创造价值。过去，当所有者不必为人员受伤，或者因污染、噪音或事故导致损失的财产承担责任时，他们便会很少努力地去防范它们发生。如果房屋租价受到限制，房主无法按市场价格收取租金，房主就不会对房屋加以修缮，任其破败。

社会上最大的问题发生在人们认为最该受到公家控制的领域：大气、水体、空气、街道、国家政体和人类的品德。这些都在"公地的悲剧"中有所反映。而如果赋予它们私有财产的性质，那么它们会运行得更好。

公地的悲剧 (The Tragedy of the Commons)

加勒特·哈丁 (Garrett Hardin，世界著名生态经济学家，加利福尼亚大学圣巴巴拉分校的人类生态学荣誉退休教授。他撰写了大量生态学、生物学和伦理学方面的著作，其中包括《普罗米修斯伦理学》、《利他主义的度》、《追寻原始禁忌》和《人口、进化和节育》等。——译者注）首次提出了"公地的悲剧"，用"公地的悲剧"这个短语来描述公共牧场（公用的放牧草场）上放牧的牧民们。在他的笔下，牧民们问自己："往畜群增加一头牲畜我能得到什么好处呢？"理性的牧民会追求自己的利益，于是就会尽可能地增加牲畜的头数。增加的牲畜卖掉后，他可以得到所有的收益而几乎不必承担放牧牲畜给公共牧场带来的损失。哈丁写道："每个人都囿于一种体制，这种体制驱使自己无限制地增加牲畜头数——在资源有限的世界里。公地上的自由会给所有人带来毁灭。"

人们往往更加关心他们所拥有的东西。这是因为资源的所有者不仅从资源的使用中获益，而且还要承担相应的损失。当所有权不明确导致没有人因保护资源而充分获利（就象无人拥有或人人拥有的情况）的时候，资源往往会被过度使用，低效使用甚至被破坏掉。

因为缺少所有权，海洋鱼类往往会遭到过度捕捞。产生这个公地的悲剧的原因是渔民们只有在鱼落入自己船舱时才能获利。没有什么东西能够鼓励他们把鱼留在大海让他人去捕捞。渔民的捕鱼量决定了他们能获得的利益，而代价——鱼类资源日益枯竭，却由所有渔民来承担。

清晰可靠的产权能使人们享受到拥有财产所带来的利益，同时他们也承担因其行动所造成的全部代价，这才是解决公地的悲剧的办法。社会中如此，公司里亦然。

在市场经济中，最终引导所有者使用财产的是消费者。如果他很好地服务消费者，消费者就会奖励他，否则就会遗弃他。所以，如果所有者满足了消费者的要求，他的产权就会增加，反之则减少。使用产权来满足消费者的需求，就能不断地获得新的产权。

我们往往认为产权简单、具体而且永远不变，例如包括矿产在内的土地所有权。但是随着市场的发展，私有产权日益专业化，它们被细分并以新的形式表现出来，如租赁权、合伙权益、资产证券、债务、矿产权益、知识产权、合同权益和期权等等。产权专业化程度的提高能够创造出更多的价值，这与不断细化的劳动分工和专业化相类似。

在科氏工业集团，我们使用决策权来力求复制产权在社会中有益的角色。决策权可被看做组织内部的产权，我们通过确保所有员工都具有明确的角色、职责、要求和职权来建立决策权机制。

清楚的决策权允许员工们分配、消耗或者保护公司的资源，力求创造价值，员工们职责明确，就像业主一样。对于一贯能够做出增加价值的正确决策的人员，决策权将扩大，反之将缩小。

决策权应该反映员工所表现出的比较优势。在一群员工中，工作效率较高、机会成本较低的员工具有比较优势。例如，销售产品通常是明星销售员的比较优势，即使他们可能也非常擅长做销售分析工作，而这就使得销售分析员具有了做销售分析工作的比较优势，即使他在做销售分析工作上不如明星销售员那样精通。那些能够考虑自己的比较优势，不断做出好的决策的员工将会获得更大的决策权。

人们经常听到这种说法，就是应该由具有该领域最好知识的人来做决定。一般来说，这也许没错，但更确切地说，最好是由具有比较优势的人来做决定。理解这两个概念之间的细微差别，人们就可能创造出更大价值。

人们在各行各业的才能和智能各不相同，但人人都具备做出独特贡献的潜能。每个人的贡献都是基于他的价值观、才能、知识、努力和相对于他人的经验来做出来的。这个独特性导致了劳动分工，也就是以角色专业化来提高组织的生产率。

劳动分工 (Division of Labor)

促使人类富裕的一个根本因素是"劳动分工及其相应的合作"。比起单独工作自给自足的状况，专业化分工和交换更能有效地满足人们的需求。尽管人口数量极大增长，劳动分工仍然大大提高了人民的生活水平。

劳动分工的力量来自于人类和自然界的多样性。专业化分工和交换的利益源于技术、知识、文化、基础建设、地理、自然资源、土壤和气候等方面的差异。如果每个人以及地球的每个角落都是完全一样的，那么劳动分工带来的利益就会少得多。

由于人们的价值观、知识、技能或境况各不相同，因而，组织中即使是角色相近的员工也应该拥有不同种类和不同程度的决策权。我们也认为随着我们的业务和比较优势发生变化，并且随着我们做出正确或错误的判断，我们的决策权也应该随着时间的推移而有所变化。这是一个动态的过程，目的是让在价值观、知识、工作态度、被证明的能力和机会成本方面具有最佳综合素质的人做决定。

角色、职责和要求

我们用 RR&Es(即角色、职责和要求) 来定义一般领域的职责和责任。并且，每一个特定的角色都具有特定的职责和要求。承担决策后果 (或好或坏) 的人就是负责人，决策者和授权者都是负责人。RR&Es 设定了一个拥有所有权、承担责任和合理授权的文化氛围来避免滋长怠惰，放弃职责或指责他人的工作作风。

RR&Es 要求员工、主管和其他相关人员长期保持对话交流。每位员工都有责任确定自己的 RR&Es 是反映现状、准确而有效的。员工和主管都有责任确保 RR&Es 能使员工们做出最大的贡献，实现公司或团队的愿景。主管必须经常如实地向员工做出反馈，利用业绩考评帮助员工了解他们的业绩与要求之间的差距，以及如何改进。主管不能像切面包那样对待 RR&Es，不能只对每位员工都提出同样的要求。这会导致 RR&Es 失去意义并且不能帮助员工创造价值。传统的工作描述只是一般性地总结日常琐碎的任务，RR&Es 则不同。因为每一位员工的 RR&Es 应该着重于创造价值，按照员工自身的比较优势和各种机会量身定制。

角色不是工作头衔，而是对职位和个人应发挥的作用的描述。组织不同，角色的数量和种类也不尽相同。这取决于业务性质、组织的愿景、策略和执行者的比较优势。

在任何时期，我们多数人在组织中都担当着多个角色，每个角色都有一系列相关的职责。这些职责明确表明我们负有责任的产品、服务、资产或流程。责任的程度和性质都在要求中有明确的说明。要求是一份书面的描述。它具体地指出员工若要帮助公司达到目标所应取得的成绩。要求应该清晰具体而且尽可能可以衡量，它们应该注重想得到的结果，而不是所需采取的行动。要求也必须是开放的，并且具有挑战性，能开阔员工的眼界。这就会鼓励员工进行试验和创新。

员工和主管（及任何其他相关人员）应该对事务的轻重缓急和工作要求有明确的认识，这一点非常关键。要求在可衡量时会最有意义，即使衡量是主观的。人们很容易把要求设定成封闭式的（例如，每天必须装 67 车货），而不是开放式的（例如，在安全、合法和盈利的基础上最大化装车的数量）。封闭式要求会阻碍创新，而开放式要求则能鼓励员工思考、参与和创新。开放式要求会引导员工不断创造更多价值。

决策权和职权决定了一位员工在某个指定的角色上为了执行职责而独立行动的自由。这些通常表现在对各种运作费用、资本支出和合同性义务加以限制的形式上，也包括一些对其他事物的独立处置权力（即同意或反对），而不必得到上级主管的批准，如雇佣或解聘员工。

根据员工在不同领域所展示出来的获取结果的能力，给予他们在相应领域而不是其他领域的职权。例如，科氏供应和贸易公司 (Koch Supply&Trading) 的一名经理在分析贸易策略方面展示了出色的能力，于是决策层就会赋予其在贸易策略批准上极其充分的职权。然而，只有当这名经理也展示出了能够选聘有盈利能力的贸易员的能力时，公司才能赋予他招聘和解雇的职权。

有原则的企业家精神

没有决策权的员工也应具有企业家的主动性。他们仍能够创造价值。公司不能接受甘居人后、不思进取、因无权就以此为借口逃避做事的员工。在市场经济中，有原则的企业家总是会面临着这些挑战。企业家发现机会后，必须说服投资方、贷款银行、供应商、客户以及其他各方提供资金或以其他方式支持自己的观点，去开展新的业务。成功的企业家不会因为无权控制资源而畏缩不前。

员工发现创新或改进的机会时，应该寻找有职权的人员来实现这些想法。我们希望员工利用知识共享、挑战流程、逻辑推理和证据论证，同时审慎明智地应用决策框架 (Decision Making Framework)，来使得自己的想法被批准。如果员工提出的建议获得批准并成功实施的话，其决策权就可以增加。每位员工都必须展示出紧迫感、纪律性、责任心、判断力、主动性、经济性和关键性思考能力，及敢于承担风险的心态，为公司做出最大贡献。这就是第四条指导原则——有原则的企业家精神的精髓。

要求公司上下全面创造价值就必须做到：

◆ 决策权不是赠予的，而是由员工挣得的；

◆ 面对需更正的问题或该捕捉的机会时，没有权力不能成为无所行动的借口。相反，员工们应该唤起主动意识，提出方案，找到解决问题或抓住机会的方法。

员工没有任何借口不采取重要行动，即使在共同承担工作职责的情况下也是如此。所有权划分不明确会导致公地的悲剧。当业务领导，运营主管和合规专家都认为填写政府报告是其他人的责任，而导致有关的报告没有被正确填写时，其后果可能极具毁坏性。

不能根据离问题或过程的远近程度来确定谁最有资格做出决策。当今世界的特征是知识爆炸、瞬息万变，再搞从上至下的决策体制导致效率极度低下，将会遭到广泛的批评。的确，由中央政府统一调控的计划经济国家中普遍存在着这种低效率的决策机制，而中央集权的命令和控制式企业管理方式因许多同样的问题使企业蒙受了沉重的经济损失。因此，那些最熟悉本地情况的人经常会处在更有利的位置，来处理手头的问题。应该对所有员工的想法和创造力进行利用。但是全面分散决策权也存在着它自身的问题，因为有些决策需要经过更全面的考虑之后才能做出，如果在局部做决策的话，决策结果可能不会带来盈利。

盲目采取任何一种方式——统一集中式或完全分散式的决策方式都是不可行的。例如，在某一时期炼油厂如何达到最高产量的决策也许最好还是由该厂人员做出。另一方面，有些人虽然远离现场，但却博学多识，也许更有资格决定未来 5 年间利润最高的产品组合是什么。决策应由那些具有最好的知识的人做出，并把比较优势考虑在内。

每个人的职权有很大的区别，每个人的工作表现也是如此，这是由于价值观、经验、能力和机会的不同造成的。不论是新招聘的员工还是所并购公司的老员工，他们的能力尚未经证实，所以权力往往较小。**拥有多年的工作经历，各种证书和头衔都不足以证明员工具有良好的决策能力。只有做出实际成绩之后才能证明员工的决策能力，而且只能是该方面的决策能力。**

企业需要明确规定并不断更新每位员工的 RR&Es 及相应的职权范围，如果这个过程执行得当，会为企业和员工带来巨大利益。这个过程设立了清晰的优先级、个人所有权和承担结果的责任以及薪资的成绩单。它促使组织留意并发现员工们不断变化的比较优势，同时它也是一个重要的纽带，把员工和该业务的愿景和策略联系起来，激励员工集中精力，为实现业务部门的目标而努力工作。最重要的是，它能持续地提高公司做出合理的、创造价值的决定的能力。

市场经济有效地结合了清晰界定及被保护的产权、良好的文化、由价格，利润和亏损所产生的有用的知识和激励等因素，从而自发地形成一种关联网络。这种关联网络能够为社会创造出最大的价值，促进经济繁荣，推动社会进步。同理，如果公司具有设计良好的决策流程、好的价值观、科学的知识分享，以及公平的衡量和激励，它也能产生自发的秩序，从而创造出最大价值，促进公司的发展。

　　管理问题就是一个组织如何营造社会环境，把个人目标与组织的目标结合起来的问题。这需要富有意义的工作，需要责任心和创造力，需要公平合理的机制，需要做有价值的事情，还需要努力把事情做好的愿望。

　　The problem of management is how to set up social conditions in any organization so that the goals of the individual merge with the goals of the organization. This includes the needs for meaningful work, for responsibility, for creativeness, for being fair and just, for doing what is worthwhile and for preferring to do it well.

——亚伯拉罕·马斯洛 (Abraham Maslow)

亚伯拉罕·马斯洛 (1908—1970)，犹太人，美国著名的心理学家、比较心理学家，人本主义心理学 (Humanistic Psychology) 的主要创建者之一，心理学第三势力的领导人。

　　马斯洛于1930年获威斯康星大学心理学学士学位，次年获得心理学硕士学位，1934年获心理学哲学博士学位。1935年，马斯洛在哥伦比亚大学任桑代克学习心理研究工作的助理。马斯洛虽反对行为主义，但受的却是行为主义教育。直到1937年到纽约市布鲁克林学院 (Brooklyn college) 担任心理学副教授时，他才在思想上放弃行为主义，改而走向人本主义。

　　1951年马斯洛应马萨诸塞州新成立的布兰代斯大学 (Brandies University) 的邀请担任该校心理学系主任和心理学教授。1954年他首次提出人本主义心理学的概念，但因当时行为主义思想正盛，因而未受重视，连他的文章都无法在心理学刊物上发表。1961年联合志同道合者创办《人本主义心理学期刊》，第二年正式成立美国人本主义心理学会，该会后来成为美国心理学会第32分会。至此，人本主义心理学思想才获得一席之地，也因此使他在1967年当选为美国心理学会主席。1969年马斯洛退休后赴加州，成为加利福尼亚劳格林 (Laughlin) 慈善基金会第一任常驻评议员。1970年8月，国际人本主义心理学会成立，并在荷兰首都阿姆斯特丹举行首届国际人本主义心理学会议。1971年，美国心理学会设置人本主义心理学专业委员会。这两件事标志了人本主义心理学思想获得了美国及国际心理学界的正式承认。

第7章

Incentives

激 励

对不懂经济学的人来说，如果一个公司赚了 100 万美元，这就意味着他的产品需要比这家公司在不赚任何利润的情况下多花费 100 万美元来购买。但这些人从未意识到，如果没有因渴望利润而提高效率这种激励的话，这些产品也许还要贵上几百万美元。

——托马斯·索厄尔

奖励与反馈意见相结合的，唯一能够提高积极性的做法是，不仅依照完成的任务给予奖励，而且根据任务完成的质量给予奖励，同时提出具体的反馈意见。

——查尔斯·默里 (Charles Murray)
美国企业公共政策研究所专攻文化与自由的 W.H. 布雷迪学者
代表作有《失去土地》(Losing Ground) 及
《钟形曲线》(The Bell Curve)

利润的激励作用非常强大，它鼓励企业家们保持警惕，并且冒风险去预见并满足客户需求。 发现并利用成本更低的方法生产现有产品并开发新的和更好的产品。这不仅能为善于发现的企业家创造利润，还能为整个社会带来利益。

通过消耗更少的资源，留下更多资源去满足社会的其他需求，从而提供更多高价值的产品和服务，使人们的生活质量得到提高。

激励机制

在科氏工业集团，我们利用激励，努力把每位员工的利益与公司、社会的利益统一起来。这就是说，我们把员工为公司创造的一部分价值奖励给员工本人。我们相信这种做法能够吸引和挽留合适的人，激励他们成为有原则的企业家。

在历史的进程中，许多的例子都有力地证实了要达到某个特定成果时，激励措施发挥了多么重要的影响。正确的激励措施很重要，这是在北美殖民地上得到的最早的经验教训。1620年清教徒到达美洲时，他们的所有财产都归公有，包括房子和粮食。每个人都为集体工作，不管人们做出的贡献是大还是小，一律得到同等的报酬。这种体制使得人们生活穷困甚至食不果腹。它"最终引发混乱局面和不满情绪，阻碍了人们劳作"，威廉·布莱福特(William Bradford，说起美国人的祖先，一般人都会说是"五月花号"。威廉·布莱福特就是《五月花号公约》的主要起草人，后来成为普利茅斯殖民地的总督。美国的第二大节日"感恩节"就是由他提出来的。——译者注) 总督后来这样叙述道。身强力壮的男子和妇女都不愿意与那些偷懒或怠工的人们拿同样多的报酬。许多殖民地的居民经常不去田间劳作，因为他们觉得这种体制不公平。

经过了两年半的艰苦岁月，布莱福特总督决定给每个家庭分配一块土地，让他们在这块土地上自种自收。这是普利茅斯殖民地繁荣发展的开端。由于清教徒们可以保留自己种得的粮食，他们就有了积极性去努力劳作，创造财富。

还有一个例子，取自查尔斯·巴特森(Charles Bateson) 的《犯人船》(The Convict Ship) 一书，讲的是激励措施发挥威力，甚至改变了品质恶劣之人的行为。18 世纪时，船长们承担了把罪犯从英国押送到澳大利亚的任务，根据在伦敦押上船的罪犯人数获得报酬。这个规定鼓励船长们尽量往自己船上多塞罪犯，丝毫不考虑长达 6 个月的航程中犯人们的健康和安全状况。更为糟糕地是，许多船长囤积起本该分给犯人的食物，等船到达目的地时再售出获利。幸运地活着到达澳大利亚的犯人们"面色憔悴，形容枯槁"，而且"蓬头垢面，污秽不堪"。

按照这种报酬支付方法，船上犯人的死亡率很高，每艘船上几乎 1/3 的犯人会丢掉性命。这就"促使当局改革报酬支付的方法，以防止犯人的死亡率过高"。于是方案经过调整，不再仅仅根据登船犯人人数支付报酬，而是拿出部分报酬，等船到达澳大利亚后，犯人们登岸后，按照健康活下来的人数支付这部分报酬。这种"用金钱激励来人道地对待犯人"的方法极大地改善了犯人们的生活条件，提高了犯人的存活率。新的办法实施后，前3艘运送犯人的船上承载的322名犯人中只有2人死亡。新机制降低了死亡率，"早些时候经常虐待犯人的严重事件几乎彻底消失了"。

姑且不论早期船长们人品的低劣，这个简单的事例说明，人们会对激励做出反应。有人认为，人们不该在有奖励时才去做好事，不该用个人利益，而应该用责任、同情或忠诚来激励人们做好事。不幸的是，即使是有良好品德和意愿的人们也不是总能够抵制不当的激励。尽管清教徒们有勇气冲破险境，千辛万苦地飘洋过海到达美洲，但是只有在实施了正确的激励措施之后，他们才积极劳作，使自己生存下来，并踏上了繁荣发展的道路。

最近，我们注意到所有国家都在推行改革，如爱尔兰，在激励机制及相关因素方面实施了有益的变革措施。1988年，《经济学人》(The Economist) 杂志曾断定爱尔兰"经济失利"，并"迈向灾难的深渊"。爱尔兰副总理玛丽·哈尼 (Mary Harney) 承认政府长期"不加节制地大肆借贷、消费和收税，我们沉醉于其中几乎失去知觉。但正是因为我们几近麻木，我们才会鼓起勇气开展变革。"其中的一项改革措施是，把公司税率从50%降低到了12.5%，远远低于目前30%的欧洲平均税率。

改革的结果超过了最乐观的预期目标。20世纪90年代，爱尔兰的经济增长了83%，而该国20世纪80年代的经济增长率仅为18%，欧洲各国上世纪90年代的平均增长率为22%。爱尔兰的失业率从20世纪80年代后期的18%下降到2005年的不足5%，人均GDP从1990年的1.2万美元上升到2002年的3.6万美元，一跃成为欧洲第二富国。1997年，《经济学人》杂志修正了原先的预言，称爱尔兰是"欧洲的一盏闪亮的明灯"。

尽管本章的关注点是在员工的激励方面，但是激励对公司和其他关联方的利益协调一致也是非常重要的。这些关联方包括客户、供应商、股东、经销商、代理商、社区或政府。通过正确地把所有关联方的激励协调一致，我们极大地提升了获得成功的能力。理解主观价值对于创造这些激励方案是必需的。

例如，我们不是根据总销售额乘以一个低的百分比来支付给外部的销售代理商们代理费，而是根据超出我们机会成本的销售价格乘以一个高得多的百分比来支付代理费。这就给了代理商强大的激励来卖出一个可以最大化风险调整后的利润的价格，而不是通过牺牲价格来提高产品成交的可能性。我们也努力使得零售商优先促销我们产品，从而使得他们可以获得更多利润。通过了解他们各自的运作方式，我们能够决定如何去鼓励他们提供给我们好的货架空间，并且使得他们的销售人员推荐我们的产品。同理，我们相信社区和政府更愿意让遵守环境保护，安全和其他法规方面领先的公司发展壮大。当通过实践有原则的企业家精神创造出新的和更好的工作时，每个人都会从中受益。

我们讲述清教徒、犯人船和爱尔兰实行改革的例子，不是想证明人们每一次都需要激励才会去做正确的事，而是要说明正确的激励措施更能促使无论是好人还是坏人都更经常地做正确的事。正确合理的激励机制能够鼓励人们工作更加努力，创新积极性更高，为他人也为自己创造出更多的价值。

然而，这并不是采用激励机制的唯一原因。即使人们情绪高涨，真心实意地渴望成功，他们还是会面临一个挑战，即搞清楚如何把时间和精力集中到正确的事情上来。**成功的企业家能够利用市场的激励确定创造最多价值的行动方针**。同样，雇主应该利用激励机制引导员工把注意力和精力集中到能够创造出最多价值的领域和产品上来。

建立一个既能激发创造性，又不会引致无心之失的激励机制，是一项挑战。恰当的激励机制不仅要鼓励员工创造价值，告诉员工做什么事情有价值，还必须鼓励员工以有原则的方式创造那些价值。要建立有效的激励机制，必须首先了解人类行为。

人类行为 (Human Action)

米塞斯认为，人们采取行动必须具备三个条件。它们是：

◆ 对目前的状况感到不安或不满意；

◆ 设想一种更好的状况；

◆ 相信能够达到那种较好的状况。

我们只有对草坪的现状感到不满时才会想到修剪草坪，认为这样做会令它更为美观，而且我们懂得修剪的方法。当客户对当前的供应商感到不满，认为别的供应商能够提供更好的服务，而且能够有条件转向别的供应商时，他们就会转向别的供应商。这些条件中倘有一条不成立时，人们便不会采取行动。

不能创造条件满足这三条要求的公司只会营造出懒散怠惰的文化氛围。鼓励创新和破坏的公司会提供如何创造价值的愿景，辅助决策，从而建立有原则的企业家精神的文化氛围。

任何一名员工的价值取向都极具主观性，涵盖金钱和非金钱两个部分。可能的非金钱激励包括相信自己从事的工作有意义、挑战、竞争、自豪感、认可、满足感、乐趣、能帮助他人实现成功以及成为成功团队中的一员等。蒙大拿州海狸头农场采取的是金钱和非金钱相结合的一种激励机制。认识到人们到农场工作不是为了金钱，而是为了追求一种生活方式，这种方式很重要的一点就是与家人在一起工作。于是农场改变了原先不许员工家属在农场工作的规定，而且还在农场上为每一个家庭盖起了房子。这样，海狸头农场立刻吸引了一批非常优秀的员工加入。

在 MBM 模式中，对每位员工理想的激励是能够最好地鼓励他（她）在事业上为公司创造最大价值。在可行的情况下，薪资福利应该适合每位员工的主观价值，提供最大的价值给员工同时考虑这对公司带来的成本。激励应该考虑到员工个人的风险状况，时间偏好和最有价值的形式，以及数量和薪资福利的可变性。

时间偏好 (Time Preference)

时间偏好理论是经济学的一条重要概念，它是指在其他条件不变的情况下，人们愿意立刻满足特定的需求，而不愿意推迟到以后（人们常常展现出经济学家所谓正时间偏好率的特征，也就是说，人们认为当下的快乐要比将来的快乐更有价值。——译者注）。这种在时间方面的偏好因人而异，即使是同一个人，因时期不同也会有所变化。与时间偏好低的人相比，时间偏好高的人更有可能希望今天就能满足自己的需求，而不想积累起来推迟到以后再满足。

你的时间偏好程度就是你现在放弃一个单位的满足量，希望将来获得的额外的满足量。这些不同的比率代表的是时间的价格而不是金钱的价格，这也是利息产生的原因。初始的利息因通货膨胀而变得扭曲，因信贷风险而更为复杂。

产权被清晰界定并得到尊重时，时间偏好就会降低，人们更愿意储蓄，公司企业也更愿意长期投资。

为了了解员工重视什么，管理人员必须与他们建立开放而真诚的关系。建立这种关系的难度会因角色、管理人员、员工以及管理人员对员工的了解程度而有所不同，因为每一位管理人员、每一位员工都是不同的。

对某些员工来说，非金钱激励诸如由于工作完成得好而受到赞扬，可以和金钱激励同样重要。但是必须注意，这种赞扬是员工经过努力而赢得的。正如马斯洛所说的那样："受到不该得到的赞扬，或者过度夸大人们所取得的成绩，实际上会让他们产生内疚感。"虚假的夸奖也往往会破坏信任。

执行所有金钱激励措施的指导原则，应该是这些措施能够鼓励革新、创新和破坏的过程，实现长期可持续利润的最大化。尽管无法精确制定最适宜的奖励方式，但是员工创造的价值应该尽可能准确地评估，然后决定奖励的金额和最佳方式是什么。

不当的激励机制

大多数员工都想积极地贡献，为自己为公司为社会尽最大努力工作。然而，许多公司制定的激励机制却会让员工依靠损害公司的长期价值来获得利益。能够长期忍受不当的激励机制的员工非常罕见。

一些公司设立固定的预算金额来控制成本。在这种体制下，管理人员会拒绝采用可能导致预算超支但能带来盈利的建议，使公司失去盈利的机会。公司为了降低成本，要求预算全面削减10%或者裁员10%，这样的做法非常普遍。它通常会导致盈利的开支和赔钱的开支被统统砍掉、人才与庸才一律被裁掉的结果。这样，公司的利润往往不是增加了而是减少了。这两种方式都会导致错误的激励，错误的激励在公司与员工（委托人与代理商）之间普遍存在，被称为代理人问题 (Agency Problem)。

只要委托人或企业主雇用代理人或员工，就往往会产生代理人问题。委托人希望代理人采取的各种行动都要符合委托人的最佳利益，而代理人则通常想满足他自己的最佳利益。

这些相互冲突的利益会以各种各样的方式表现出来。当委托人和代理人需要承担不同的风险时，代理人问题通常表现为两种形式中的一种。一种形式是，员工竭力反对冒险，这通常是由于领导者不奖励盈利的冒险举措，或过度责罚谨慎却遭到损失的冒险行动，结果造成谨小慎微的企业文化氛围。

为了防止这种行为产生，应该对价值创造给予奖励，只在适当的时候对造成的损失给予处罚。应该通过运用机会成本的概念来鼓励谨慎的冒险。因错失良机而未能获得的利润应适当地看做因冒险失败所受的损失。要对员工错失机会的价值和其他缺点进行评估，放入员工业绩考评中并向员工沟通。这样就不会鼓励员工轻易放弃符合公司利益却风险较大的机会，如一项投资可获利10万美元的机会为90%，另一项投资可获利100万美元的机会为50%，员工在选择时，就不会偏向于机会较大而公司获利较小的第一笔投资了。考虑机会成本也有助于杜绝审批过程中的浪费现象，包括过多的步骤和分析，减少投资因无法迅速有效地获得批准，而丧失机会的现象发生。

另一种极端的形式是，员工的冒险活动轻率鲁莽，甚至员工进行了未经授权的冒险活动。在这种情况下，他们打算孤注一掷地为自己大赚一笔，即使让公司陷入困境也在所不惜，这些害群之马因贪图一己一时的私利而不顾集体利益，会毁掉整个公司。1995 年，声名显赫的巴林银行就发生了类似事件。如果选聘和留用员工时首先考察他们的价值观和理念，适当设立和安排决策权，进行有效的控制，就可以把此类行为的发生率降到最低。

还有一种错误的激励在上市公司中更为普遍。这些公司的管理人员面对着达到季度收益目标的巨大压力。收益稍有下滑，就可能导致股票价格大幅下跌。因此，管理人员被鼓励做出那些通过牺牲真实的长期价值来优化短期收益的决定。这些决策可能包括减少对收益较高的周期性或长期项目的投资，以及忽视某些问题，因为这些问题一旦被证实，管理人员就不得不减少账面价值甚至篡改账目。不当的激励令上市公司的长期管理变得极为困难。这就不难理解为什么科氏工业集团珍视其私有企业的公司身份的道理了。

激励的协调和统一

成功有效的激励机制必须把员工个人利益与公司整体利益统一起来。如果结果对员工有益，那么也必须对公司有益，反之亦然。如果结果对公司有害，则必须也对员工有害。这在遵纪守法的所有方面都特别正确。不遵守法纪的经营行为必然会招致灾难性的恶果。当我们要求所有员工各自承担责任，特别是追究管理层员工的责任时，合规程序的实效性就大大提高了。

所以，制定激励机制要注意几点。第一，使员工的个人利益与公司的整体利益和谐统一起来。这会加强员工努力工作的本能性愿望，帮助公司发展壮大。第二，薪资福利的发放应遵循的原则是，员工彼此之间各有差异，所以他们做出的贡献可能相距甚远。第三，对员工的薪资不设上限，这样员工就不会为自己创造的价值设定上限。最后一点，激励应该能有效地吸引、鼓励和挽留那些具有有原则的企业家精神的员工。

要做到以上几点，就应奖励为公司长期价值做出业绩的员工，拒绝奖励不创造出价值的活动，以此形成一个有效制度引导员工的行为，并鼓励他们做正确的事情。由于员工的目标和愿景不同，价值观与能力各有差异，所以他们并不是总能利用几乎无限的机会去创造价值。因此，即使两名员工担任的角色相似，也很可能获得不同的薪资。这反映出自由市场经济所作用于企业家的激励机制。

现在我们以更广的角度想一下创造价值。员工创造价值不仅通过创新或抓住机会，还可以通过帮助保证整个价值创造过程（业务过程）运行平稳。例如，财务部对提供信息来指导业务决定是必不可少的。研发新产品对长期盈利能力非常重要，及时并有成本效益地提供有价值的信息对长期盈利能力可能同样重要。我们应当意识到这点，并给予适当的奖励。

失败与成功并不相互排斥，这看上去似乎令人迷惑。因为在公司内部推行试验性探索过程时，应该估计到可能会遭遇失败。但是，今天取得的成功也许就是因为吸取了昨天失败的教训才获得的，所以，认识到这一点非常重要。

需要搞清楚，我们的组织不奖励失败。尽管我们有时能估计到失败，但要尽量避免失败。除了从失败中汲取教训之外，我们必须区分清楚失败是因为考虑不周造成的，还是因为一时冲动造成的，或者它只是深思熟虑的冒险行为导致的那种失败，如规划缜密的试验或投资项目有时也会失败。

鼓励试验性探索过程，不惩罚计划周全而结果失败的试验，就能鼓励员工经常进行小的尝试，从中可以获得威力巨大的新发现和新知识，这对创新、发展和长期盈利能力的实现至关重要。

公司在支付薪资福利方面应让员工避免"应得"的观念。自动加薪（如生活费的调整）和根据头衔、证书、学位、资历或经验通过公式计算付薪，如海氏体系〔又叫海氏工作评价系统或"指导图表—形状构成法"(Guide Chart-profile)，是由美国工资设计专家艾德华·海于 1951 年研究开发出来的，被企业界广泛接受。海氏工作评价系统实质上是一种评分法，是将付酬因素进一步抽象为具有普遍适用性的三大因素，即技能水平、解决问题能力和风险责任，相应设计了三套标尺性评价量表，最后将所得分值加以综合，算出各个工作职位的相对价值。——译者注〕是我们所不认同的薪资方案。我们也不认同根据相对于预算的业绩，而不根据员工所创造的价值来支付奖金的方案。

至此，大家应该明白，我们的薪资体系与典型的薪资体系不同。那种体系评估职位而较少的去评估员工个人，在公司内部根据相似的职位来建立僵化的薪金等级结构。它们根据下属人数、培训和教育证书、工作复杂程度和职权大小，编成一套换算公式，为给定职位制定建议性的薪资范围。这往往会打击员工的创新、发现和企业家行为，从而无法创造出真实的价值，反而会助长争权夺利和官僚政治行为。

在科氏工业集团，我们不根据角色而奖励。相反，我们因员

工做出具体的贡献和成就而给予奖励，不会因为员工业绩平平或
贡献一般就给予奖励。马克思精辟地概括共产主义制度：人们"各
尽所能，按需分配"。MBM 模式则与之不同，它要求"各尽所能，
按贡献分配"。

边际贡献

能够评估员工的边际贡献是保证薪酬制度行之有效的要素。
边际贡献是边际分析的具体应用。它指要素或人员增加、减少所
导致增加、减少的那部分价值。要想了解员工的边际贡献需要回
答几个问题：已经取得了哪些成绩？如果没有那名员工，还能抓
住这个机会吗？如果没有这名员工参与工作，结果会怎样？该员
工是如何为我们的企业文化做贡献的？在科氏工业集团，我们还
对员工遵守 MBM 各项指导原则的情况做出评估。

应该全年不断地留意和记载员工的业绩表现，而不应该等到
年终才努力回顾全年的表现。应该利用经济性分析和 360 度反馈
来了解员工对长期价值的贡献。这也确保可以用最好的信息来恰
当地评价正反两方面的贡献。如果前一时期有未做奖励的贡献，
那么评估时应该补充那些遗留的部分。正负遗存的贡献常常源自
以前实施的工作项目，这些项目也许是在业绩评价期结束时还没
完成，或者还没有取得实际成果。科氏工业集团不奖励那些仅仅
是希望取得的计划成果，相反，有证据证明取得了成果时，我们
会对成就给予奖励。

基本工资，正确看待它的话，是给员工的预付款，是预计员
工为公司创造的未来价值的提前支付。那么，员工创造出的价值
如果高于原先工资所反映的价值时应该怎么办呢？那就应该让该

员工分享额外价值，如同企业家分享市场额外价值一样。

做到这一点可以有几种办法，如年度激励奖金 (Annual Incentive Compensation)、实时奖金 (Spot Bonus)、几年一发的效益奖金以及其他奖励措施。**管理人员的一个关键角色就是通过根据员工创造的价值支付薪水，并保证薪水富有竞争力，从而可以挽留和鼓励那些创造最佳价值的员工。**即使员工已经创造出了利润，进一步提高工作业绩总是有可能的。主管应该沟通公司与员工如何都能从工作改进中获益。接受、欢迎并且内化反馈的员工将会增加他们的贡献。

反之，如果员工创造出的价值低于他们的薪酬和其他费用，就是在浪费资源、破坏价值。这样的情况需要及时得到处理。

亚伯拉罕·马斯洛说过："所有人……喜欢做有意义的工作超过做无意义的工作。"做有意义的工作就是奉献，为社会创造价值。在真正的市场经济体制下，为社会创造价值的衡量标准就是利润。建立合理的激励机制能够统一我们的利益，指引我们迅速发现什么是有价值的事情，不仅如此，认可员工的成绩能够鼓励员工生活得更高效，更有利于其发挥其全部潜能，让他们在工作中获得强烈的满足感和成就感。

当我们在生活的各个方面应用正确的理论和实践方法时，我们必须充满激情地去学习、挑战和实验，创造出价值，这样我们才能获得最大的成就感。

To achieve the greatest fulfillment,we must passionately learn,challenge and experiment to create value as we apply sound theory and practice in every aspect of our lives.

——查尔斯·科克

查尔斯·科克 本书的作者，他自1967年以来一直担任科氏工业集团董事长兼CEO。自那时起，该公司一跃成为发展迅速、产品多元化的知名集团公司。

第 **8** 章

Lessons Learned

我们的经验教训

"15 世纪"的医生使用病人无法读懂的语言来保守秘密。要想攻破这个城堡，必须主动向备受推崇的世俗法规提出挑战，自愿脱离大学社团和同业协会。这种冒险之举既需要激情和知识，也需要谨慎，但更需要胆量。为了开辟这条道路，首先他需要掌握专业知识，但不必效忠于这个专业。他应当留在医生这个行业而不是附属于这个行业。

——丹尼尔·布尔斯廷

创新是企业家手中独特的工具，他们利用这个工具进行变革，找到发展其他行业或提供不同服务的机会。创新能够被人们学习并付诸实践。企业家们需要目的明确地寻找创新和变革的源头，观察变化，寻找预示变革成功的信号。另外，他们还要懂得应用成功创新的各项原则。

——彼得·德鲁克
被誉为现代管理学之父，对世人有卓越贡献及深远影响
被尊为"大师中的大师"

MBM 模式是人类行为的科学在组织中的应用，是已被证明了的流程，通过把促使社会繁荣的原则应用到组织的管理中来取得成果。

我认为 MBM 模式适用于各种形式的组织——不仅适用于公司企业，还可适用于慈善机构、政府机关、社团和其他组织。 不过，本书重点讲述 MBM 模式在科氏工业集团旗下各个公司中的应用。坚持应用 MBM 模式创造价值，就有必要了解误用 MBM 模式的各种表现。

错误陷阱

误用形式之一是我们还没有认识到 MBM 模式是一套完整的体系。它的真正威力蕴藏于基本哲学及其综合应用之中，而不在于形式或各个独立部分。有些人只对它的概念和程序有所了解，没有真正转化为个人知识，这样的人往往容易发生误用的情况。

因此，组织在能够成功地应用 MBM 模式之前，领导者必须专心致志地学习领悟 MBM 模式，完整地应用它来获得成果，才能转化为个人知识。要获得这种个人知识就要进行自我修正，首先要从理解基本概念开始。还要搞清楚这些概念是如何有益于创造长期利润的，之后再不断重复地应用。

这是一项艰巨的任务。从人类本性上讲，领导者和实践者经常不能按照他们号召的方式去采取行动。在历史的进程中，此类问题存在于各种形式的组织中——政府部门、宗教组织、非营利性机构以及各个公司企业。这个缺点会导致玩世不恭、华而不实、官僚作风、威权式管理方式或者损人利己的破坏性行为出现。尝试应用 MBM 模式的人们也难免会犯这个错误。

另一种误用形式是我们在应用 MBM 模式时，试图遵照规定好了的详细步骤行动，而不是把对 MBM 模式的原则理解传授给下属，并向他们提供有用的工具（模式）。我们也曾错误地通过规定具体内容而不是通过利用主管和员工的共同知识来开发 RR&E 及改进方案。有时，合规程序的实施是通过官僚化的步骤，而不是通过设定标准和要求从而可以促使员工去创新。诸如此类的误用使得我们坠入陷阱，就像政府在制定法规时产生浪费一样，他们通过强制使用具体的方法，而不是通过设定和执行基于科学的标准。甚至在有些时候，我们把违反了某些无伤大雅的内部章程和违反政府法规相提并论。

决策框架是我们的项目分析流程，它应用起来应尽量简单但不能简化。然而一方面，实际情形是决策框架经常制定得过于烦琐复杂，令好的项目错失机会。不能改进决策有效性的分析实际就是浪费。如果对 200 万美元的简单项目和 1 亿美元的复杂项目采用同样的分析，资源浪费显而易见。消除这种浪费的方法之一是做决策的领导要询问项目分析人员，确定在准备的过程中哪些工作没有价值。同样，项目分析人员应该被告知哪些部分的分析对决策者无用。对任何一方无价值的工作环节都应从项目中排除出去。

另一方面，根本不利用决策框架，或者实施人员没有真正理解如何使用它，甚至滥用它去批准构思拙劣却为人宠爱的项目，这时，就会产生不能盈利甚至毫无价值的投资结果。项目分析人员没有真正理解决策框架并误用决策框架时，就会浪费所有人员的时间。在所有的决策框架中，需要判断和分析关键环节 (Key Bets)，并验证基本的假设。但是，分析和验证的程度和范围应该根据项目的风险与回报、规模、复杂程度和政府的要求而有极大的差异。这个过程的指导方针是最大限度地实现风险调整后的利润。利润回报率高而风险低的项目，也许几乎不需要经过分析审核程序，就应该立即获得批准。

当官僚化地利用僵化的公式来应用 MBM 时，这就不是真正的 MBM 了。MBM 的基本原则是自发秩序原则，意味着我们提供概要的规则从而使得人们可以通过挑战现状来创新。记住，MBM 指出强调详细的程序会导致鼓励价值创造的概要的规则崩溃。

其他的误用、滥用行为还包括把 MBM 模式变为一套毫无意义的时髦口号，更糟糕的是，用它来证明已做的事情或想做的事情是正确的。例如，有些员工以本地知识模式 (Local Knowledge Model) 为借口，凡事都不向主管请示便为所欲为。另外一种扭曲 MBM 的做法是"为查尔斯制作图表" (Charts for Charles)，就是说员工浪费时间和精力在 MBM 的表面形式，而不是努力从中得到价值。

为了避免这些错误的做法，真正发挥 MBM 模式的作用，我们要求领导人员必须以其理解力和洞察力，通过培养能力建立相应的机制，及早发现并纠正此类误用滥用行为。在市场经济中，随着客户和竞争对手的变化，企业家要不断进行调整以最好地创造价值。值得庆幸的是，企业家们有一个强大的反馈机制：利润和亏损，这使得他们可以做出调整。我们需要通过应用 MBM 开发一些使我们能够快速做出类似调整的机制。

尽管人们对 MBM 模式有些误解，也有过误用滥用的现象，但是，当理解正确、实施得当时，运用 MBM 模式的成效已被证明非常卓著。在过去的 40 多年里，由于我们应用了 MBM 模式，公司得以极大地发展起来。员工们反复实践，深入领会 MBM 模式的思维模式，应用 MBM 模式的精神实质而非表面形式，把 MBM 模式的威力全部释放了出来。当员工们能充分利用最好的知识做出决策，发明创新；当我们把它当做指导方法和实践工具加以利用去创造价值时；当我们不断地询问自己："这样做是在创造价值吗？" MBM 模式的作用就发挥出来了。对 MBM 模式的所有理解和应用都应被这些问题检验。

创　新

我们已经艰难地认识到运用 MBM 创造价值需要我们开发个人知识，并且建立反馈机制来打造有原则的企业家精神的文化氛围。这样的文化氛围可以激励每个人积极创新，勇于对未知世界提出挑战，创造出越来越大的价值。

不仅要在技术方面创新，而且要在企业的方方面面都实施创新，这是企业长期成功发展的关键所在。如果企业改进的速度快于现在和潜在的竞争对手，它就能够发展壮大。反之，如果企业改进的速度慢于对手，那么它就会成为创新和破坏的牺牲品。转换视角才能有所发现，只有这样我们才能从不同角度审视我们自以为理解的事实和关系。在了解客户时，要通过向外看而不是向内看的方式才能推动视角的转换。转换视角时，我们应采取谦虚平和的态度，这也许不易做到。创新始于解决当下问题的迫切愿望及探索解决办法的勇气。这需要全身心的投入，倾注大量的智力和激情。

探索的过程需要个人知识，首先要形成一种不断探求"是什么"和"可能是什么"两者差距的思维方式。这些探索会使我们去假设或产生预感，虽然我们无法明确地表达出来，但会驱使我们去寻求更进一步的解释。下一步，我们要清晰地说出这些假设，以把发现纳入有用的程序中。

那么如何推进探索的过程呢？波拉尼认为，**在具有自发秩序，人们能够相互调整各自行动的体制中，最容易产生新的发现**。他把这个过程比做一群人解决巨型拼图的难题。大家在一起工作，互相可以看得见彼此，这样一来每拼对一块图片时，其他人都被提示进行下一步，此时探索的速度最快。当有人采取"中央集权"式的指挥或每个人单独去拼图时，探索的速度则减慢。

波拉尼论拼图

"如果我们拿到一个大型拼图的许多小图片，假定由于某种原因，我们必须在最短的时间内把整个图形拼好。我们自然会找许多人来帮忙加快拼图的速度。但问题是，怎样才是大家参与的最好方式。人与人之间有效合作，其效率远远超过单人独自拼图的唯一办法是：大家在彼此能够看得到对方的地方一起拼图，这样每拼对一块图形，其他人都将立刻寻找可能成为下一个空缺的图片。在这种体制下，每个人将根据其他人最新的成果来采取自己的行动，从而使共同完成任务的速度大大提高。我们在此简要说明一下这个方法：通过在每个连续的阶段，根据别人的进展相互调整自己的行动（别人也同样在做调整），来使得一系列的独立活动被组织成共同的成就。"

开始建立具有自发秩序的探索体制时，员工的角色必须包括创新和鼓励创新两项内容，这需要具备这样一个环境：人们置身其中时不会盲目地服从命令，而是勇于提出想法，挑战观念，且不会因此遭到严厉批评。挑战过程必须看做是学习和改进的契机，而不应看成扼杀别人观点的机会或失败的象征。人们应当组成团队协同工作，共享观点想法，而不是处于相互隔离状态，从而得到充足的资源和时间。这样做才最具有创造性。人们也必须要通过放弃不重要的工作来获得时间。

让拥有合适技能和价值观的合适的人担当合适的角色有利于创新的产生，而通过从拥有不同知识和观点的别人那里获得关键的反馈会加强这一点。这也需要一个文化氛围，在这个文化氛围中，探索，试验和发现不会因为害怕失败而被扼杀。这个文化氛围必须通过奖励那些为了创新而必须做的谨慎的冒险这种激励方式来进一步加强。

探索发现需要有纪律的框架，但同时也要鼓励反抗和挑战现状。合理守法地创造商业价值需要采取适当的方法，但是独特创意的萌生则需要鼓励不同意见的产生。简而言之，创新需要纪律和自由的正确结合。

　　由于未来是未知的同时也是不可预知的，所以应该尽可能地鼓励为发现和创新做出贡献的人们，同时赋予他们与业绩和能力相匹配的自主处事权利。从最根本上说，MBM是一套哲学思想和方法论，它鼓励为公司和社会创造价值的各种创新活动。如果本书有利于这些价值的创造，那么笔者的写作目的也就达到了。

| 致　谢

在此感谢所有同事，感谢他们 40 多年来帮助我们运用 MBM 并取得最终的成就。我要特别感谢里奇·芬克和史蒂夫·达利 (Steve Daley) 两位，他们在本书的写作过程中给了我宝贵的建议和帮助。我还要感谢罗德·莱恩德 (Rod Learned)，其编辑工作极大地完善了这本书。任何错误和疏漏之责任均由我一人承担。

此外，我还要感谢我的兄弟大卫和马歇尔一家，他们是最理想的商业合作伙伴。最不容遗漏的是，我要感谢我的妻子丽兹，我们携手度过了 34 个春秋，她对我始终不渝的爱情及对我的支持和指引改变了我的人生。没有他们的大力相助，本书不可能完成。

查尔斯·科克

全球最大私企成功的科学

我曾听说过一些国际著名的企业，也见到过不少成功的企业家把自己创业和守业的心得与感悟集结成册，供那些仍在艰苦中跋涉的创业者们参考，或者给他们指点迷津。曾经，这些书籍名目很多，也很流行。由于流行了，反倒没有什么特色了，似乎很快也就被人们遗忘了。所以，当我刚拿到这本书时，对它并不怎么动心，只当做一件工作来完成。

由于职业的原因，我对企业界关注甚少。比起我心目中那些名冠全球的企业，科氏工业集团我确实不甚了解。但是，当我看完该书的第1章以后，我就开始对它产生了浓厚的兴趣。原因是科氏工业集团竟然从一个名不见经传的小作坊做起，励精图治，跨越众多领域，不断地推陈出新，发展成为美国最大的私有企业。到底是什么使它能保持如此持久的发展动力？

该书的作者运用经济学、管理学、伦理学、社会学、哲学、心理学、生物学、人类学等多学科的知识，一切从实际出发，不断总结经验教训，提炼出一套完整的以市场为基础的管理模式，大到公司的公众形象及宏观决策，小到公司具体运作中的每一个细节，处处闪烁

193

着智慧的光芒，其中的很多理念发人深省。诸如公司的经营能否长盛不衰取决于公司通过创造价值为提高人民生活水平做出了多少贡献；坚持贯彻正确的原则，创造真实价值，切实履行承诺，不搞虚假宣传，公布真实业绩，建立良好的公司声誉等等，这不仅道出了一个成功企业的根基，也体现了一个伟大企业家应有的胸襟和社会责任感，很值得我们深入思考。更重要的是，这些蕴含了无限智慧的模式和理念，对于我们国家许多身处日益成熟的市场经济环境、渴望企业发展壮大的企业家而言，有着很好的导向与借鉴作用。

掩卷沉思，我发现书中涉及的一些经济学概念不仅有利于企业的经营，而且对于我们认识人生也是有益的。例如，沉没成本是书中提到的一个经济学概念，意思是当一项业已发生的成本无论如何努力也无法收回的时候，这种成本就构成了沉没成本。由于年龄、经历等原因，我们可能在年轻的时候做过一些无可挽回的错事，走过一段难以回避的弯路，遭受过一些不堪回首的挫折磨难，如果利用沉没成本的概念来看待它们，从这些错事、弯路和挫折磨难中汲取经验教训，调整方向、树立信心、重新开始，这样，我们的路就会越走越宽，我们就可能赢得一种崭新的、更加积极的人生！

自承译此书以来，我不敢有丝毫的懈怠。但由于能力有限，虽心无旁骛，竭尽全力，不妥之处必然存在，希望博学多识的读者给予指正。

在此，我还要衷心地感谢家人的大力支持与编辑们的辛勤工作，希望这本书能带给读者们一个广阔的视野，也能助我国的企业家一臂之力。

刘志新

2008 年 3 月

让我爱不释手的读物

我特别欣赏科克在整本书中为了方便读者阅读而使用的一系列方法，例如文中使用了报价单、简要说明、概念定义和图形，使文章浅显易懂。除了具有视觉吸引力以外，这些应用还具有两个明显的作用：突出要点和方便读者对其进行周期性评论。

——罗伯特·莫里斯 (Robert Morris)
美国得克萨斯州的一名职员

一本实用的商业经典必读书

这本书将会成为一本商业经典之作。如果您想在业务上，特别是如果您想让你的企业更好地开展工作，您需要读读这本书。

——沃利·伯克 (Wally Bock)
美国辛克莱石油公司 (Sinclair Oil) 物料控制部主管

一本不平凡的书

这本书很容易阅读和理解，我觉得它是一本国家领导人和企业家的必读之物。您想想看，如果书中查尔斯·科克的建议和观点被运用到企业或国家管理中的话，将会产生多么巨大的效益啊！

——康拉德·冯·艾爵 (Conrad M. Von Igel)
美国纽约州的一位企业中层管理人员

成功必然有它的理由

科氏工业集团之所以能迅速发展成为全球最大的私人企业，MBM 模式功不可没！本书以科氏家族的早期创业为出发点，接下来对 MBM 模式的五个维度进行详细的阐述，和传统的管理书籍枯燥无味不同，这本书不乏经典的论述和生动的案例，对我来说，对我所管理的公司来说，它都具有高价值的借鉴意义！

——牛进森
上海市阳光科技有限责任公司总经理

这本书，我喜欢

好久没看到这样的好书了，科氏工业集团从上个世纪20年代一个不起眼的家族企业迅速发展成为全球最大的私人企业，我不得不为之惊叹！科克创立的管理模式如此科学和完美，相信它对中国的企业家肯定会具有无比重大的借鉴意义！

——罗俊生
北京市和正阳光有限公司董事长

科氏工业创始于 1940 年，前身是美国伊利诺伊州的一家小型炼油公司。今天，这家私人企业的总部设在堪萨斯州威奇塔市，拥有多家附属公司，业务广泛。科氏工业集团年收入约 1 000 亿美元，被《福布斯》杂志评为美国最大的私人公司之一。得益于股东一直将约 90% 的收益用于再投资，公司的财务实力不断得到增强。

科氏工业集团的业务遍及近 60 个国家，员工约 7 万名，集团一直致力于创造最大的价值，其成功来自于：

◆ 应用科氏工业集团独有的以市场为基础的管理模式 (MBM®) 模式，将自由市场的力量注入各业务，以创造最大的价值并取得长期的成功；

◆ 培养有原则的企业家精神™，以及促进一个使员工得以创造成果和真实价值的文化；

◆ 有效和安全的运营，坚定不移地致力于 10 000% 地遵守法规。

科氏工业集团的多元化业务

炼油及化学制品

弗林特·希尔斯能源公司 (Flint Hills Resources) 及其附属公司分

别在美国阿拉斯加州 (North Pole)、明尼苏达州 (Rosemount) 和得克萨斯州 (Corpus Christi) 经营炼油厂，日均原油加工总量超过 80 万桶。该公司的石化业务包括在伊利诺伊州、密歇根州和得克萨斯州的生产设施，主要生产芳香烃、烯烃、聚合物及化学中间体。公司也在美国中西部生产和销售沥青，并拥有在路易斯安那州的一座基础润滑油设施的部分权益。

科氏金融贸易公司 (Koch Supply & Trading) 在荷兰鹿特丹经营一家日均产能达 8 万桶的炼油厂。

科氏化学管道公司 (Koch Pipeline Company, L.P.) 拥有或经营近 4 000 英里的原油、精制成品油、液化天然气和化学制品运输管道。科氏阿拉斯加化学管道公司 (Koch Alaska Pipeline Company) 在阿拉斯加输油管 (Trans Alaska Pipeline System) 拥有 3% 的权益。另一家科氏下属的公司在全球最大的精制成品油管道拥有者及运营商 Colonial Pipeline Company 中拥有 28% 的权益。

生产流程及污染控制设备及技术

科氏化学技术集团公司 (Koch Chemical Technology Group, LLC) 及其各关联公司设计、制造、销售、安装、保养和维修生产流程及污染控制设备，为各行业及地区政府部门提供工程服务。其关联公司包括：

科氏－格利奇公司 (Koch-Glitsch, LP) 及其关联公司是传质及除雾设备、其他加工技术以及相关服务的全球领先供应商。公司产品被全球的炼油厂和化工厂广泛采用。

美国科氏滤膜系统有限公司 (Koch Membrane Systems, Inc.) 为全球多个应用领域开发和生产膜分离系统，包括微滤膜、超滤膜、纳米滤膜及反渗透膜。公司也提供用于工业及地区政府废水处理的浸没式膜。

科氏热传设备公司 (Koch Heat Transfer Company, LP) 及其关联公司为全球客户设计并组装专有和定制的换热器。

约翰·净克公司 (John Zink Company, LLC) 及其关联公司是超低排放处理燃烧器、锅炉燃烧器、导管燃烧器、喷焰及热氧化器的全球领先制造商。公司也是提供废气／蒸气回收及蒸气燃烧室系统的全球供应商。

优化工艺设计公司 (Optimized Process Designs, Inc.) 为全球的天然气及气体处理工业提供咨询、工程、设计、采购、组装及建造服务。公司一直是美国多家最大型天然气工厂的主要承包商。

艾利斯电力设备公司 (Iris Power LP) 及其关联公司开发并制造监控、测试大型电力设备的仪器。客户包括公用事业公司、化工设施、纸浆及造纸公司以及其他拥有大型电机的工厂。公司提供的可靠性解决方案帮助全球客户维持顺畅、可靠的营运。

科氏耐特公司 (Koch Knight LLC) 及其关联公司是抗酸方案的全球领先者。公司通过全球的制造和外派设施网络提供建造、工程及相关服务。公司产品采用最先进的陶瓷和塑胶原料制造，销往全球各地。

尤尼芬国际公司 (Unifin International LP) 及其关联公司是电力工业传热技术及设备制造的领先者。公司致力于研发传热技术及制造流程的解决方案，现已成为变压器油冷却器、变压器油泵、发电机冷却器及 TEWAC 发动机冷却器的全球领先供应商。

矿　石

科氏矿业公司 (Koch Minerals, LLC) 及其关联公司均为全球领先的干散货商品贸易商，年产品销售和贸易量超过 4 000 万吨。其关

联公司包括:

科氏碳业公司 (Koch Carbon, LLC) 及其关联公司通过美国和欧洲的散货进/出口货运站网络在全球买卖及运输石油焦炭、煤炭、水泥、纸浆和纸、硫磺以及其他相关商品。

西里斯煤炭公司 (The C. Reiss Coal Company) 及其关联公司是煤炭及主要用于工业领域或发电的相关产品的领先供应商。

科氏勘探公司 (Koch Exploration Company, LLC) 及其关联公司在美国、加拿大和巴西从事收购、开发和买卖石油及天然气资产的业务。

肥 料

科氏化肥公司 (Koch Fertilizer, LLC) 及其关联公司在美国、加拿大、特立尼达和多巴哥、以及委内瑞拉拥有独资或合资的氮肥工厂。公司使用位于美国、加拿大和欧洲的设备先进的货运站供应全球所需。科氏化肥公司及其关联公司 (包括 Nitrogen Company LLC 和 Koch Fertilizer Canada ULC) 拥有年均超过 9 百万公吨的氮肥生产、销售和分销能力。

商品及金融贸易和服务

科氏工业集团在美国威奇塔、休斯顿和纽约,以及加拿大、开曼群岛、法国、印度、荷兰、新加坡、瑞士、及英国均拥有交易员或发起人。

科氏金融贸易公司旗下各公司在全球从事原油、精制成品油、天然气及液化气、气体、电力及排放、钢铁、工业金属、能源以及其他商品和金融工具的交易和风险管理。

聚合物及纤维

英威达及其附属公司是全球最大的聚合物和纤维综合生产商之一，其产品主要用于尼龙、氨纶以及聚酯方面的应用。英威达业务遍布 20 多个国家，经营四类主要业务：服饰、中间体、功能与室内材料、以及聚合物与树脂。许多产品例如衣服、地毯、行李箱、塑料瓶、汽车车内饰材、安全气囊以及许多其他产品的原料都产自英威达的全球生产网络，让我们的日常生活变得更加丰富多彩。英威达秉承创新的传统，现已拥有超过 1 000 个申请中或已授予的美国专利，并且几乎在其设有业务的所有国家均申请了相应领域的专利。英威达凭借技术的创新、对市场的深入了解、以及享誉全球的知名商标组合包括莱卡®(LYCRA®) 纤维、STAINMASTER® 地毯、安特强®(ANTRON®) 地毯纱线、COOLMAX® 面料等，为客户提供超卓的价值。

林业及消费产品

乔治亚—太平洋公司位于美国亚特兰大，与其关联公司在北美、南美及欧洲共设有近 300 家各类生产厂，从事大规模的纸浆、纸品和纸巾制造，以及石膏、包装盒和建材生产。在北美的消费品牌包括 Quilted Northern®、Angel Soft®、Brawny®、Vanity Fair® 及 Dixie® 杯子和餐桌用品。在欧洲的消费品牌包括 Lotus®、Colhogar®、Delica®、Tenderly® 及 Demak'Up® 面部清洁产品。该公司还销售纸巾、餐巾和商业场所使用的肥皂液分配器。公司的包装业务为消费产品制造商提供瓦楞纸箱，是美国最大的供应商之一。公司的建材产品业务一直以来是美国木材及建材经销商及"自己动手做 (DIY)"仓库零售商的领先供应商。

牧 场

牧牛公司 (Matador Cattle Company) 是科氏农业集团公司 (Koch Agriculture Company) 的一个业务分部，其经营三个牧场：位于美国蒙大拿州的 Beaverhead，位于得克萨斯州的 Matador，以及位于堪萨斯州的 Spring Creek。这些牧场总面积达 42.5 万英亩，拥有约 1.5 万头牛。牧牛公司是美国养牛业的十大公司之一。

科氏工业集团在亚洲的业务

科氏工业集团及其关联公司在亚洲拥有超过 2 000 名员工，从事制造、贸易、市场营销及销售等业务。

科氏金融贸易公司旗下各公司在全球从事原油、精制成品油、天然气及液化气、气体、电力及排放、钢铁、工业金属、能源以及其他商品和金融工具的交易和风险管理。该公司在亚洲的印度及新加坡设有分公司。

弗林特·希尔斯能源公司生产的化工产品通过位于亚洲的办事处于区内进行销售和分销。

乔治亚—太平洋及其关联公司在中国设有销售办事处。其中 GP Chemicals 拥有 Kolon GP Chemical 公司的部分权益，后者在中国苏州拥有一家生产厂。

科氏化肥公司在中国北京设有科氏氮业公司的办事处，并在新加坡设有科氏化肥亚洲有限公司 (Koch Fertilizer Asia Private, Ltd.)。

英威达在上海青浦设有氨纶和地毯纤维的生产基地，并于近期扩大了中国佛山氨纶纤维工厂的产能，并在上海市青浦工业区兴建了一家尼龙 6,6 气囊纤维工厂。

科氏化学技术集团公司位于亚洲的附属公司包括科氏热传设备

公司、科氏－格利奇公司、美国科氏滤膜系统有限公司和约翰·净克公司及其关联公司。

科氏各公司在亚洲地区所设的办事处

中　国

弗林特·希尔斯能源公司（香港特别行政区）

英威达（北京、上海、广州、佛山、连云港、苏州及香港特别行政区）

乔治亚—太平洋公司（上海、广州、苏州及香港特别行政区）

科氏－格利奇公司，北京办事处

美国科氏滤膜系统有限公司（北京及上海）

科氏热传设备公司（上海）

科氏氮业公司，北京办事处

印　度

约翰·净克公司 关联公司（孟买）

科氏－格利奇公司（孟买）

美国科氏滤膜系统有限公司（孟买、Nandanam）

科氏金融贸易公司（孟买）

英威达（新德里）

日　本

英威达（东京、大阪及滋贺）

约翰·净克公司关联公司（东京）

乔治亚—太平洋亚太公司（东京）

巴 林

美国科氏滤膜系统有限公司

新加坡

乔治亚—太平洋亚太公司

科氏金融贸易公司

英威达 (Tuas 及 Sakra)

科氏化肥亚洲有限公司

韩 国

约翰·净克公司关联公司

科氏－格利奇公司 (首尔)

英威达 (首尔)

中国台湾

科氏－格利奇太平洋公司 (Koch-Glitsch Pacific Inc.)

英威达 (台北及桃园)

泰 国

英威达 (曼谷)

附录 A

公司所交易的各种产品

石油	原油 冷凝液
精炼产品	汽油 喷气式发动机燃料 燃料油 柴油 渣油
石油化工产品	对二甲苯 邻二甲苯 间二甲苯 异丙苯 假枯烯 甲苯 苯 丙烯乙烯 废纤维和聚合物
金融产品	固定收益(信贷) 股权套利 不动产 免税租赁 市政债券 公司债券 股权 资产支持型证券 信用违约交换 外汇交易 利率
矿产产品	勘探和开采权利 石油焦 煤 硫磺 水泥 矿渣 海运
能源产品	天然气 电力 排放信用配额
天然液化气	乙烷 丙烷 丁烷 天然汽油
结构性金融产品	风险管理 衍生工具
金属产品	铝 铝合金 铜 铅 锌 锡 镍 钢 银
化肥	无水氨 尿素 尿素硝酸铵
林业产品	纸浆和纸 再生纤维 废纸 木材 木屑 胶合板
农产品	大豆 小麦 玉米 棉花 糖 牛 猪 可可粉 改良油菜籽 橙汁 牛奶
中间原料	石油精 瓦斯油 乙醇

附录 B

公司退出的业务种类

原油采集	动物饲料	加拿大管道
气体处理	谷物碾磨	商业出租
硫磺酸	煤矿开采	电讯
油轮	纤维玻璃产品	图像传输
钻井设备	医学设备	天然气管道
挖泥机械制造	网球场地面材料	铂交易业务
特殊化学品	运氨管道	二氧化碳
硫磺厂设计规划	宽频贸易业务	色谱仪
低温系统	加油站	矿渣水泥
空气质量咨询	丙烷零售业务	发电业务
谷物贸易	活性炭	饲养场
肉类加工	冷却塔	多功能道路建设
微电子化学产品	商用飞机	天然液化气采集
比萨面团	货车运输	刨花板

附录 C

MBM 部分思维模式列表

ABC Process   ABC 流程

Apprentice   学徒模式

As simple as possible, but no simpler   尽可能的简单，但不失去含义

Challenge Process   挑战流程

Change   改变

Comparative advantage   比较优势

Competitive advantage   竞争优势

Competitive analysis   竞争分析

Compliance   合规

Conflict resolution   冲突解决

Continuous improvement   持续改进

Core capabilities   核心能力

CPV triangle   成本，价格，价值三角形

Creative destruction   创新和破坏

Customer focus   关注客户

Decision making framework   决策框架

Decision rights   决策权

Dispersed and tacit knowledge   分散和隐性知识

Diversity, specialization and the division of labor   多样性，专业化和劳动分工

Economic freedom and prosperity   经济自由和繁荣

Economic vs. political means   经济 vs. 政治方法

Experimental discovery   试验性探索过程

Externalities and public goods   外部和公共物品

Fatal conceit   致命的自负

Feedback   反馈

Financial statement and economic reality　财务状况和经济现实

Form vs. substance　形式 vs. 实质

Franchise development　特许经营权开发

Freedom of speech and standards　言论自由和标准

Fulfillment　实现自我

Hierarchy of needs　需求层次

Human action　人类行为

Humility and intellectual honesty　谦虚和对知识诚实

Incentives　激励

Innovation　创新

Integration of theory and practice　理论联系实践

Integrity　诚实正直

Internal markets　内部市场

Knowledge processes　知识流程

Law of scientific proof　科学证据法则

Marginal analysis　边际分析

Marginal utility　边际效用

Mental models　思维模式

Mobility of labor　劳动力流动性

Multiple intelligences　多种智能

Operations excellence　卓越运营

Opportunity cost　机会成本

Origination　原创

Ownership and accountability　所有权和责任

Personal knowledge　个人知识

Political economy　政治经济

Praxeology　人类行为学

Price seekers vs. price takers　价格搜求者 vs. 价格接受者

Price-setting mechanism　定价机制

Principled Entrepreneurship™　有原则的企业家精神

Prioritization　优先排序

Private property　私人产权

Profitability measures　盈利能力衡量

Public sector　公共事务

Republic of science　科学共和国

Requirements for action　行动的需要

Respect　彼此尊重

Risk, uncertainty and options　风险，不确定性和选择权

Role of prices and profit and loss　价格，利润和亏损的角色

Roles, responsibilities and expectations　角色，职责和要求

Rule of law　法治

Rules of just conduct　公正的行为规则

Science of liberty　自由的科学

Self-interest　自身利益

Spontaneous order　自发秩序

Structure of production　生产结构

Subjective value　主观价值

Sunk cost　沉没成本

Theory of constraints　约束理论

Time preference　时间偏好

Trade　交易

Trading　贸易

Tragedy of the commons　公地的悲剧

Transaction costs　交易成本

Transactional excellence　卓越交易

Value chain analysis　价值链分析

Value creation　创造价值

Value required for prosperity and progress　繁荣和进步需要的价值

Virtue and talents　品德和才能

Vindictive triumph　报复性的胜利

Vision　愿景

Vision Development Process　愿景开发流程

Waste elimination　杜绝浪费

Whole vs. the parts　整体 vs. 局部

唯一得到两党特许全程贴身跟踪选战
《新闻周刊》资深记者团队连续几届大曝当选总统秘闻

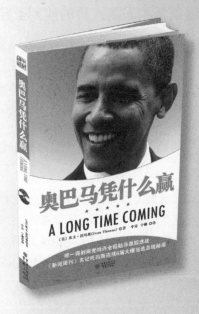

〔美〕埃文·托马斯 著

中雷 宁娜 译

重庆出版社

定 价：28.00 元

★ 用犀利的笔锋点评全球热点问题
★ 用敏锐的眼光洞察政坛风云变幻
★ 用缜密的思维解读问题背后的真相

自 1984 年以来，《新闻周刊》（*Newsweek*）就因深刻与及时的美国总统竞选全程跟踪报道而闻名于世。在每次大选开始的前一年，周刊的特派记者就开始追踪报道共和党和民主党的总统候选人。《新闻周刊》对共和党和民主党承诺，在大选结果揭晓前绝不透露候选人的竞争手段与策略。作为交换条件，周刊记者获得特许报告通道——可以全天候不分日夜追踪候选人，参加竞选团队的内部会议，了解相关报道的真实内幕，披露选举中的绝密报告。

本书聚焦于奥巴马如何实现自身飞跃以及使其成为美国政坛史上耀眼新星的那些人、那些事、那些新技术手段……

每个人都想探究那个秘密：
奥巴马凭什么赢？希拉里为什么败？麦凯恩为什么输？

奥巴马当选总统靠的是变革的口号，他号称要带领美国走向未来。奥巴马究竟是一个什么样的人？他会成为一个什么样的总统？将把美国带往何处？……他将决定今后世界的走向。本书也许会提供一些线索。

——乔恩·米查姆 美国《新闻周刊》主编
某种政治评论家、畅销书《罗斯福与丘吉尔》作者

埃文·托马斯把多年来对美国大选的观察思考浓缩于《奥巴马凭什么赢》这本书，值得每一位对美国政治和国际关系感兴趣者阅读思考。

——林宏宇
国际关系学院教授、知名美国政治专家美国斯坦福大学胡佛研究所高级访问学者

能让产品"卖出去"和"卖上价"的销售秘笈

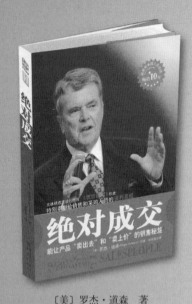

〔美〕罗杰·道森 著
刘祥亚 译
重庆出版社
定　价：38.00元

克林顿首席谈判顾问、《优势谈判》作者特别奉献给销售和采购人员的谈判圣经

★ 面对"只逛不买"的顾客，如何激发他的购买欲？

★ 面对迟疑不决的买主，如何促使他迅速作出决定？

★ 面对死砍价格的对手，如何巧妙应对？

★ 面对百般刁难的供应商和渠道商，又该如何招架？

　　翻开这本国际谈判大师罗杰·道森的经典之作，你很快就会知晓答案。在书中，罗杰·道森针对销售谈判中涉及的各种问题，提出了 24 种绝对成交策略、6 种识破对方谈判诡术的技巧、3 步骤摆平愤怒买家的方法、2 种判断客户性格的标准等一系列被证实相当有效的实用性建议。书中生动真实的案例俯拾即是，不论你是营销大师，还是推销新卒；不论你是企业高管，还是商界菜鸟，本书都值得你一读，它不仅教会你如何通过谈判把产品"卖出去"，还可以让你的产品"卖上价"，进而大幅提高销售业绩和企业利润。

赚了对方的钱，还能让对方有赢的感觉

　　道森是全美最权威的商业谈判教练，他在商务谈判领域罕逢对手，他的关于商务谈判方面的理论已成定律，而他所著的《优势谈判》与《绝对成交》更是值得细品的经典之作。

——《福布斯》

　　罗杰·道森是我合作过的最有才华的伙伴，睿智、机敏、精力充沛……他的那些中肯建议，对我来说，是不可或缺的精神力量。不可否认，在谈判方面他总是镇定自如，与对手交锋时总是有条不紊，冷静，适可而止，连对手也敬佩他的智慧！

——比尔·克林顿

精彩跌宕的保险传奇　神秘独特的企业文化
高深莫测的商业策略　不为人知的国际秘闻

〔美〕罗恩·谢尔普 著
阿尔·埃尔巴

周晶 译

重庆出版社
定　价：38.00元

美国国际集团 (American International Group, AIG) 创立 80 余年来，经过创办人科尼利厄斯·范德·史带与前任执行长兼董事长汉克·格林伯格两代人的努力，靠着管理策略、企业并购及政治权力的运用，缔造了无可匹敌的保险王国。

该书是一本寓教于乐的书，AIG 从一个当初在上海的小型办事处成长成为如今纽约的金融帝国，中国元素的影子至今仍然随处可见。沿着这条路，你将会看到一个独特的群体，一个来自俄国、中国和美国的多元企业文化的综合体，并会看到一些改变企业发展的不可预知的神秘事件。

本书充满了跨国密谋和老练的商业技巧内幕，详细讲述了创始人史带如何建立他的商业帝国——从最初在中国经营保险业到最后成为全美最大的保险公司，并解释了其为何将公司交给一个性格坚毅、急躁、永不知疲倦的格林伯格。

从上海到纽约，
深入冒险家的乐园和天堂，洞悉两代人的梦想和渴望
直击国际保险巨头的商海沉浮　见证庞大金融帝国的"逆向"成长

欧洲"证券教父"教你如何炒股赚钱

〔匈〕安德烈·科斯托拉尼 著

林琼娟 译

重庆出版社
定　价：29.80元

在投资领域，有欧洲沃伦·巴菲特之称，且被奉为绝对权威的安德烈·科斯托拉尼说："我是投机人士，始终如一！"科斯托拉尼通透掌握"以钱赚钱"的精髓，对金融商品和证券市场的一切了如指掌，以幽默、隽永且极富魅力的笔调，写下精彩绝伦的心理告白，其作品是 20 世纪的缩影，也是 20 世纪的智慧结晶。

科斯托拉尼能将抽象的策略、思想、观念用通俗有趣的故事来表达，其归纳的原则、公式和技巧，可令大众欣然接受，当然，大众也乐于了解他所描述的投资世界。

本书正是他钻研、思考、解读政治、经济、新闻、社会、资讯与心理学的精华，是他翻滚于股市洪流时，所见的投机客、股票玩家、狡猾老狐狸的真实缩影，也是他看穿股市心理，得以在无数次战役中，最终获胜的亲身体验。

本书揭露了股票市场中的机密，能培养读者独立思考与操作股票的能力，是股市操盘手及投资人的必读书籍。

最受欢迎的商业博客之一
站在时代前沿的商业妙想

〔美〕赛斯·高汀 著

刘祥亚 译

重庆出版社

定　　价：35.00元

　　本书首次将赛斯·高汀近十年来最优秀的博客文章、杂志专栏和电子书内容结集出版，这些内容都是最富爆炸性、最有启发性、最具传播性和操作性的商业思想。

　　在书的每一页，你都能找到发人深省的观点和故事，它们足以改变你的工作方式、购买行为及观察世界的角度。

　　简单梳理一下，你会发现赛斯的这些思想可以分为几个群落：

　　第一个群落是网络。赛斯对于网络的思考在15年前就已经开始！他在2003年关于网络发展的诸多预言如今正在被一一兑现。

　　第二个群落是营销。赛斯谈到，营销的本质是一场对话，而传统的广告业却因为在这场对话中的失信而逐渐失语。他相信，未来最有力的营销途径是口碑，而在网络世界里建立口碑的方式将与传统社会截然不同。

　　第三个群落是未来。赛斯把我们拉上了时光的快车道，用最令人目瞪口呆的方式跟我们分享了他眼中的未来。

颠覆传统营销理论
全球最受瞩目的划时代公关营销工具

罗伯特·斯考伯
谢尔·以色列 著

李宛蓉 译

重庆出版社

定　　价：38.00元

　　本书将透过一个个精彩绝伦的故事，告诉你：

★ 邪恶帝国微软为何变得有人性？

★ 苹果电脑隐忧何在？

★ QQ 与 Frefox 如何横扫全球？

★ 如何确保你赢得 Google 高排名？

★ 落魄的裁缝如何变身世界顶级时装大师？

★ 科技界人脉王如何在数分钟内搞臭上市公司执行官？

★ 篮球队老板如何影响 NBA 的裁判文化？

秘诀无它　只有博客做得到

　　本书还将告诉你：经营博客的10项基本功与绝对不要犯的致命错误，并且提出我们诚恳的建议：博客的进入门槛极低，利润却很惊人，现在就是加入对话的最佳时机，你还在等什么？

短信查询正版图书及中奖办法

A．手机短信查询方法（移动收费0.2元/次，联通收费0.3元/次）
   1．手机界面，编辑短信信息；
   2．揭开防伪标签，露出标签下20位密码，输入标识物上的20位密码，确认发送；
   3．输入防伪短信息接入号（或：发送至）958879(8)08，得到版权信息。

B．互联网查询方法
   1．揭开防伪标签，露出标签下20位密码；
   2．登录www.Nb315.com；
   3．进入"查询服务""防伪标查询"；
   4．输入20位密码，得到版权信息。

中奖者请将20位密码以及中奖人姓名、身份证号码、电话、收件人地址、邮编，E-mail至：
my007@126.com，或传真至0755-25970309

一等奖：168.00人民币现金；
二等奖：图书一册；
三等奖：本公司图书6折优惠邮购资格。
再次谢谢您惠顾本公司产品。本活动解释权归本公司所有。

读者服务信箱

感谢的话

谢谢您购买本书！顺便提醒您如何使用ihappy书系：
◆ 全书先看一遍，对全书的内容留下概念。
◆ 再看第二遍，用寻宝的方式，选择您关心的章节仔细地阅读，将"法宝"谨记于心。
◆ 将书中的方法与您现有的工作、生活作比较，再融合您的经验，理出您最适用的方法。
◆ 新方法的导入使用要有决心，事前做好计划及准备。
◆ 经常查阅本书，并与您的生活工作相结合，自然有机会成为一个"成功者"。

<table>
<tr><td rowspan="10">优

惠

订

购</td><td colspan="2">订 阅 人</td><td>部 门</td><td></td><td>单位名称</td><td></td></tr>
<tr><td colspan="2">地 址</td><td colspan="5"></td></tr>
<tr><td colspan="2">电 话</td><td colspan="2"></td><td>传 真</td><td colspan="2"></td></tr>
<tr><td colspan="2">电子邮箱</td><td colspan="2"></td><td>公司网址</td><td></td><td>邮 编</td><td></td></tr>
<tr><td rowspan="2">订
购
书
目</td><td colspan="6"></td></tr>
<tr><td colspan="6"></td></tr>
<tr><td rowspan="2">付
款
方
式</td><td colspan="6">邮局汇款   中资海派商务管理（深圳）有限公司
               中国深圳银湖路中国脑库A栋四楼   邮编：518029</td></tr>
<tr><td colspan="6">银行电汇   户 名：中资海派商务管理（深圳）有限公司
或 转 账   开户行：招行深圳市银湖支行
               账 号：5781 4257 1000 1
               交行太平洋卡户名：桂林   卡号：6014 2836 3110 4770 8</td></tr>
<tr><td colspan="6">附
注   1.请将订阅单连同汇款单影印件传真或邮寄，以凭办理。
     2.订阅单请用正楷填写清楚，以便以最快方式送达。
     3.咨询热线：0755-25970306转158、168   传 真：0755-25970309
     E-mail: my007@126.com</td></tr>
</table>

→利用本订购单订购一律享受9折特价优惠。

→团购30本以上8.5折优惠。